# DZIENNIK
# CWANIACZKA
## UBAW PO PACHY

# DZIENNIK
# CWANIACZKA
## UBAW PO PACHY

### Jeff Kinney

Tłumaczenie
## Anna Nowak

Nasza Księgarnia

Tytuł oryginału angielskiego: *Diary of a Wimpy Kid: Dog Days*

# DLA JONATHANA

Piątek
Letnie wakacje to trzy miesiące walki z poczuciem winy.

Wszyscy oczekują, że przez cały dzień będziesz „bawić się" na dworze, bo jest ładna pogoda. A jeśli tego nie robisz, ludzie myślą, że coś jest z tobą nie tak. Ale ja, prawdę mówiąc, zawsze byłem typem domatora.

Najbardziej lubię spędzać wakacje z grami wideo przy zasłoniętych oknach i wyłączonym świetle.

Niestety, moja mama zupełnie inaczej sobie wyobraża wakacje marzeń.

Według mamy to nienormalne, żeby przy ładnej pogodzie dzieciak cały dzień spędzał w domu. Tłumaczę jej, że po prostu chronię skórę, bo nie chcę mieć zmarszczek, kiedy będę w jej wieku, ale ona nie słucha.

Cały czas mnie namawia, żebym wyszedł z domu i na przykład pojechał na basen. Problem w tym, że początek lata spędziłem właśnie na basenie z moim kumplem Rowleyem i wcale nie było fajnie.

Rodzina Rowleya należy do klubu, więc po zakończeniu
roku codziennie jeździliśmy popływać.

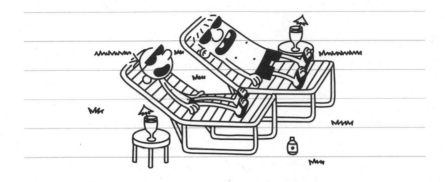

Popełniliśmy błąd, zabierając z sobą taką
jedną, Tristę, która właśnie się sprowadziła
na naszą ulicę. Po pięciu sekundach na basenie
poznała ratownika i zapomniała o gościach,
którzy ją zaprosili.

Zrozumiałem wtedy, że niektórzy ludzie chętnie żerują na innych, szczególnie jeśli chodzi o darmowy bilet na basen.

Zresztą to dobrze, że żadna dziewczyna nie plącze nam się pod nogami. Teraz obaj jesteśmy wolni, a latem lepiej być singlem.

Któregoś dnia zauważyłem, że jakość obsługi w klubie trochę się pogorszyła. Na przykład temperatura w saunie była raz o kilka stopni za wysoka, a kelner zapomniał włożyć papierową parasolkę do mojego koktajlu owocowego.

Zgłosiłem te niedociągnięcia tacie Rowleya. Jednak pan Jefferson nigdy nie przekazał moich uwag kierownikowi klubu.

Dziwne. Gdybym to ja wykupił karnet, chciałbym mieć pewność, że dostaję, co mi się należy.

W każdym razie parę dni później Rowley oświadczył, że nie może mnie już zapraszać na basen.
No i DOBRZE. Wolę siedzieć w klimatyzowanym pomieszczeniu, gdzie nie muszę bez przerwy sprawdzać, czy w moim napoju nie ma pszczoły.

<u>Sobota</u>

Jak już mówiłem, mama chce, żebym poszedł na basen z nią i z moim młodszym bratem Mannym. Niestety, w grę wchodzi tylko MIEJSKI OŚRODEK SPORTU. A kiedy człowiek zasmakował w klubowym życiu, trudno mu się odnaleźć na basenie publicznym.

Poza tym w zeszłym roku obiecałem sobie, że więcej tam nie wrócę. Na basenie publicznym trzeba korzystać z szatni, a to oznacza przejście przez łaźnię z natryskami, gdzie dorośli faceci namydlają się przy innych.

Pierwsze przejście przez męską szatnię na basenie miejskim było jednym z najbardziej traumatycznych doświadczeń w moim życiu.

Normalnie mam szczęście, że nie oślepłem. Poważnie, nie wiem, czemu rodzice zabraniają mi oglądania horrorów i innych takich, skoro beztrosko mnie narażają na sto razy gorszy widok.

Chciałbym, żeby mama przestała mówić o basenie, bo kiedy to robi, przypominam sobie rzeczy, o których wolałbym zapomnieć.

<u>Niedziela</u>

Dobra, teraz to już NA PEWNO resztę wakacji spędzę w domu. Wczoraj wieczorem mama zwołała wszystkich i powiedziała, że w tym roku jest krucho z kasą i nie stać nas na wyjazd nad morze.
Czyli nici z rodzinnego wyjazdu.

Ale KANAŁ. Naprawdę chciałem pojechać. Nie żebym tak strasznie lubił ocean, piasek i takie tam. Nie lubię. Już dawno temu zrozumiałem, że wszystkie ryby, żółwie i wieloryby na świecie wykorzystują ocean jako ubikację. I chyba tylko mnie to przeszkadza.

Mój brat Rodrick rozpowiada na prawo i lewo, że się boję fal. Ale mówię wam, wcale nie o to chodzi.

W tym roku chciałem pojechać nad morze, bo wreszcie jestem wystarczająco wysoki, żeby mnie wpuścili na Mózgotrzepa. To taka czadowa karuzela na molo. Rodrick był tam ze sto razy i twierdzi, że ten, kto nie spróbował jazdy na Mózgotrzepie, nie może nazywać się mężczyzną.

Mama powiedziała, że jeśli będziemy „oszczędni",
pojedziemy nad morze w przyszłym roku. A potem
dodała, że i tak możemy robić mnóstwo fajnych
rzeczy razem i że kiedyś będziemy wspominać
to lato jako „nasze najpiękniejsze wakacje".

Teraz czekają mnie już tylko dwie fajne rzeczy. Po
pierwsze, moje urodziny, a po drugie – ostatni odcinek
komiksu „Słodki urwis". Nie wiem, czy już o tym
wspominałem, ale to najgorszy komiks na świecie.
Żebyście mieli pojęcie, o czym mówię, rzućcie okiem
na dzisiejszy rysunek:

*Tatusiu, czy deszcz to pot Pana Boga?*

I wiecie co? Nie znoszę tego komiksu, a jednak nie mogę przestać go czytać. Tata też nie. Chyba kręci nas właśnie to, że jest tak absolutnie beznadziejny.

Ten komiks drukują od co najmniej trzydziestu lat. Rysuje go niejaki Bob Post. Podobno grypsy „słodkiego urwisa" są wzorowane na tekstach jego synka.

Ale teraz, kiedy młody już podrósł, jego tacie chyba brakuje pomysłów.

Kilka tygodni temu gazeta ogłosiła, że Bob Post przechodzi na emeryturę i ostatni odcinek „Słodkiego urwisa" zostanie wydrukowany w sierpniu. Tata i ja odliczamy już czas.

Kiedy ten dzień nadejdzie, urządzimy imprezę.

<u>Poniedziałek</u>

Tata i ja zgadzamy się w sprawie komiksu, ale na większość tematów mamy inne poglądy. W tej chwili różni nas podejście do zagadnienia snu. Latem lubię oglądać telewizję albo grać na komputerze przez całą noc, a potem spać do południa. Ale tata się wkurza, jeśli zastaje mnie w łóżku po powrocie z pracy.

Ostatnio dzwoni do mnie w południe, żeby sprawdzić, czy jeszcze śpię. Dlatego trzymam telefon przy łóżku i staram się mówić do słuchawki bardzo przytomnym głosem.

Tata chyba jest zazdrosny, bo musi chodzić do pracy, a my wszyscy zostajemy w domu i obijamy się przez cały dzień.

Ale jeśli naprawdę tak mu to przeszkadza, powinien był zostać nauczycielem albo kierowcą pługa śnieżnego. Wtedy miałby latem wolne.

Mama raczej nie poprawia mu humoru. Pięć razy dziennie dzwoni i opowiada, co się dzieje w domu.

ZGADNIJ, CO MANNY ZROBIŁ DZIŚ DO NOCNIKA! ZGADNIJ, ZGADNIJ!

Wtorek

Mama dostała od taty nowy aparat fotograficzny na Dzień Matki i teraz ciągle robi zdjęcia. Chyba ma wyrzuty sumienia, że do tej pory nie dbała, jak należy, o rodzinne albumy.

Kiedy mój starszy brat Rodrick był mały, miała jeszcze wszystko pod kontrolą.

Rodrick po raz pierwszy
je groszek.

Rodrick po raz drugi
je groszek.

Pierwszy krok
Rodricka.

Bach!

Ale kiedy ja się urodziłem, mama była już chyba bardziej zajęta i w oficjalnej historii naszej rodziny pojawiły się białe plamy.

Witamy Gregory'ego
na świecie.

Zabieramy Gregory'ego
ze szpitala do domu.

Szóste urodziny
Gregory'ego.

Pierwszy dzień
Gregory'ego w gimnazjum.

Poza tym nauczyłem się już, że nie można do końca ufać rodzinnym albumom. W zeszłym roku, kiedy pojechaliśmy nad morze, mama kupiła kilka fajnych muszli w sklepie z pamiątkami, a potem zobaczyłem, jak zagrzebuje wszystkie w piasku, żeby Manny mógł je „znaleźć".

Żałuję, że to zobaczyłem, bo w tamtej chwili całe
moje dzieciństwo uległo przewartościowaniu.

Gregory wykopuje niesamowite muszle!

Dzisiaj mama stwierdziła, że mam „kudły"
i że zabierze mnie do fryzjera.

Nigdy bym się na to nie zgodził, gdybym wiedział,
że pójdziemy do salonu piękności Tapir, gdzie ona
i babcia strzygą włosy.

Muszę jednak przyznać, że wcale nie było źle. Po
pierwsze, wszędzie wiszą telewizory, więc podczas
obcinania można oglądać różne programy.

Po drugie, mają tam masę tabloidów, tych gazet,
które zwykle wystawia się przy kasie. Mama mówi,
że tabloidy są pełne bzdur, ale moim zdaniem można
w nich znaleźć sporo wartościowych rzeczy.

Babcia zawsze kupuje tabloidy, mimo że mama tego nie pochwala. Kilka tygodni temu nie odbierała telefonu, więc mama się przestraszyła i pojechała sprawdzić, czy wszystko w porządku. Okazało się, że babcia żyje, tylko nie odbiera komórki z powodu czegoś, co przeczytała w gazecie.

Ale kiedy mama zapytała, gdzie babcia znalazła tę informację, dowiedziała się, że...

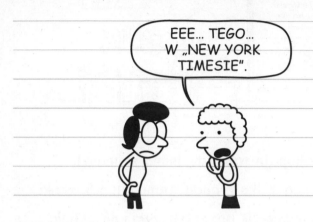

Odkąd jej pies Henry nie żyje, babcia ma mnóstwo wolnego czasu, więc mama ciągle musi wysłuchiwać historii o niebezpiecznych komórkach i takich tam.

Kiedy znajdzie u babci jakieś tabloidy, zabiera je do domu i wyrzuca do śmieci. W zeszłym tygodniu wyłowiłem jedną gazetę z kosza i przeczytałem w swoim pokoju.

No i całe szczęście. W ciągu sześciu miesięcy Ameryka Północna znajdzie się pod wodą, więc nie muszę się już przejmować ocenami.

W salonie piękności długo czekałem na swoją kolej, ale w ogóle mi to nie przeszkadzało. Zdążyłem przeczytać horoskop i obejrzeć zdjęcia gwiazd filmowych bez makijażu, więc miałem niezły ubaw.

Po obcięciu włosów odkryłem najlepszą cechę salonu piękności, czyli PLOTKI. Panie, które tam pracują, wiedzą różne okropne rzeczy o prawie wszystkich ludziach w mieście.

Niestety, mama przyszła po mnie w samym środku historii o panu Peppersie i jego żonie, która jest od niego dwadzieścia lat młodsza.

Mam nadzieję, że włosy szybko mi odrosną, bo chcę usłyszeć zakończenie.

Piątek

Mama chyba zaczyna żałować, że zabrała mnie do fryzjera. Panie w salonie rozmawiały o operach mydlanych i teraz potwornie się uzależniłem.

Wczoraj oglądałem właśnie ulubiony serial, kiedy mama kazała mi wyłączyć telewizor i poszukać sobie innego zajęcia. Wiedziałem, że kłótnia nie ma sensu, więc zadzwoniłem do Rowleya i zaprosiłem go do nas.

Poszliśmy prosto do piwnicy, do pokoju Rodricka. Rodrick jest w trasie ze swoją kapelą, Bródną Pieluhą. Kiedy wyjeżdża, lubię przeglądać jego rzeczy w poszukiwaniu czegoś ciekawego.

Tym razem znalazłem w szufladzie breloczek do kluczy ze zdjęciem, jeden z tych, jakie kupuje się na plaży.

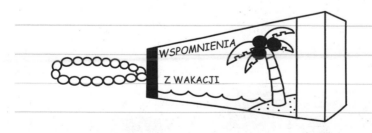

I jak się dobrze przyjrzeć, widać tam zdjęcie
Rodricka z jakąś dziewczyną.

Nie wiem, skąd Rodrick ma to zdjęcie, bo byłem z nim
na wszystkich wakacjach, a gdybym zobaczył go
z TAKĄ dziewczyną, na pewno bym zapamiętał.

Pokazałem zdjęcie Rowleyowi, ale musiałem trzymać
breloczek, bo chłopak strasznie się napalił.

Szperaliśmy dalej i na dnie szuflady znaleźliśmy horror. Nie mogłem uwierzyć w nasze szczęście. Żaden z nas nigdy wcześniej nie oglądał prawdziwego horroru, więc to była niezła zdobycz.

Spytałem, czy Rowley może u nas przenocować, i mama się zgodziła. Specjalnie wybrałem moment, kiedy taty nie było w pokoju, bo on nie lubi, kiedy ktoś zostaje u mnie w dzień „powszedni".

Zeszłego lata ja i Rowley spaliśmy w piwnicy.

Kazałem mu zająć łóżko bliżej kotłowni, bo strasznie się boję tego pomieszczenia. Doszedłem do wniosku, że jeśli coś stamtąd wylezie, najpierw złapie Rowleya, a ja będę miał dodatkowe pięć sekund na ucieczkę.

Mniej więcej o pierwszej w nocy usłyszeliśmy podejrzany dźwięk w kotłowni i przestraszyliśmy się, jak nie wiem co.

Brzmiało to jak duch dziewczynki albo coś w tym stylu i mówiło:

Rowley i ja mało nie zadeptaliśmy się nawzajem, biegnąc do drzwi.

Wpadliśmy do sypialni rodziców. Powiedziałem im, że nasz dom jest nawiedzony i że musimy natychmiast się wyprowadzić.

Tata nie był przekonany. Zszedł do piwnicy i wszedł prosto do kotłowni. Rowley i ja stanęliśmy trzy metry za nim.

Byłem pewien, że tata nie wyjdzie stamtąd żywy. Usłyszałem jakiś szelest i stukot i już chciałem dać nogę.

ŁUP
ŁUP

Ale kilka chwil później tata wrócił z zabawką Manny'ego, lalką o imieniu Harry-Znajdź-Mnie.

Wczoraj wieczorem Rowley i ja poczekaliśmy, aż rodzice pójdą spać, a potem obejrzeliśmy film. Właściwie to tylko ja oglądałem, bo Rowley przez cały czas zasłaniał oczy i uszy.

Film opowiadał o łapie z bagien krążącej po kraju i mordującej ludzi. Ostatnia osoba, która zobaczy łapę, będzie jej następną ofiarą.

ŚLIZG
ŚLIZG

Efekty specjalne były strasznie tandetne i nie bałem się ani trochę aż do samego końca. Dopiero wtedy ogarnęło mnie przerażenie.

Kiedy łapa z bagien udusiła swoją ostatnią ofiarę, podpełzła do kamery i ekran zrobił się czarny. Najpierw nie wiedziałem, co jest grane, ale potem zrozumiałem, że następną ofiarą będę JA.

Wyłączyłem telewizor i opisałem Rowleyowi cały film, od początku do końca.

Chyba dobrze mi to wyszło, bo Rowley przeraził się jeszcze bardziej niż ja.

Wiedziałem, że tym razem nie możemy pójść do rodziców, bo dostałbym szlaban za oglądanie horroru. Jednak w piwnicy nie czuliśmy się bezpieczni, więc resztę nocy spędziliśmy w łazience na piętrze.
Przy włączonym świetle.

Żałuję, że zasnęliśmy, bo kiedy tata znalazł nas rano, nie był zachwycony.

Chciał wiedzieć, co się stało, i wyciągnął ze mnie prawdę. Powiedział o wszystkim mamie i teraz ma się rozstrzygnąć, ile potrwa mój szlaban. Ale jeśli mam być szczery, bardziej niż jakąkolwiek karą mamy martwię się tą łapą.

Trochę o tym myślałem. W końcu doszedłem do wniosku, że łapa z bagien nie pełznie zbyt szybko.

Mam więc nadzieję, że zostało mi jeszcze trochę życia.

## Wtorek

Wczoraj mama zrobiła mi wykład o tym, że chłopcy w moim wieku zbyt często oglądają filmy pełne przemocy albo grają na komputerze i że w ogóle nie mamy pojęcia, co to jest PRAWDZIWA rozrywka.

Siedziałem cicho, bo nie bardzo wiedziałem, o co jej chodzi.

Potem oświadczyła, że ma zamiar założyć „czytelnię"
dla chłopców z naszej okolicy, bo chce nas zapoznać
z wielką literaturą.

Błagałem mamę, żeby ukarała mnie w jakiś inny sposób,
ale nie chciała ustąpić.

No i dzisiaj odbędzie się pierwsze spotkanie
Klubu Dobrej Książki. Żal mi było tych wszystkich
chłopaków, których mamy zmusiły do przyjścia.

Cieszę się tylko, że mama nie zaprosiła Fregleya, tego porąbanego kolesia, który mieszka na naszej ulicy, bo on ostatnio jest jeszcze dziwniejszy niż zwykle.

Zaczynam podejrzewać, że Fregley jest trochę niebezpieczny, ale na szczęście prawie wcale nie opuszcza swojego podwórka. Jego rodzice mają chyba ogrodzenie pod napięciem albo coś.

W każdym razie mama powiedziała, żeby każdy przyniósł dziś swoją ulubioną książkę. Mieliśmy wybrać jedną i o niej porozmawiać. Położyliśmy książki na stole i wszyscy byliśmy zadowoleni z wyboru. Wszyscy oprócz mamy.

Mama powiedziała, że to nie jest „prawdziwa literatura" i że trzeba będzie zacząć od „klasyki".

Potem przyniosła stertę książek, które ONA czytała w dzieciństwie.

Czyli dokładnie takie same książki jak te, które każą nam czytać w szkole.

Nauczyciele wprowadzili ostatnio pewien system:
jeśli uczeń przeczyta w wolnym czasie coś z „klasyki",
dostaje naklejkę z takim jakby hamburgerem.

Nie wiem, kogo oni chcą nabrać. Za marne
pięćdziesiąt centów można sobie kupić cały arkusz
takich naklejek w sklepie papierniczym.

Niezupełnie wiem, które książki należą do „klasyki",
ale to chyba musi być coś, co ma przynajmniej
pięćdziesiąt lat, a na samym końcu umiera człowiek
albo zwierzę.

Mama powiedziała, że jeśli wybrane przez nią książki
nie przypadną nam do gustu, to pójdziemy razem do
biblioteki i znajdziemy coś, na co wszyscy wyrażą
zgodę. Ale mnie się to nie podoba.

Widzicie, kiedy miałem osiem lat, wypożyczyłem książkę, a potem zupełnie o niej zapomniałem. Kilka lat później znalazłem ją za biurkiem i zrozumiałem, że wiszę bibliotece jakieś dwa tysiące dolców kary.

Dlatego zakopałem książkę pod stosem starych komiksów w szufladzie. Leży w niej do dzisiaj. Od tego czasu omijam bibliotekę. Wiem, że jeśli kiedykolwiek się tam pokażę, będą na mnie czekać.

Prawdę mówiąc, denerwuję się już na sam widok bibliotekarki.

Spytałem mamę, czy nie moglibyśmy jeszcze raz dokonać wyboru – spośród książek, które mamy w domu. Zgodziła się. Jutro przynosimy nowe lektury.

## Środa

Liczba członków Klubu Dobrej Książki mocno się skurczyła. Większość kolesi, którzy przyszli wczoraj, dała nogę i teraz jest nas tylko dwóch.

Rowley przyniósł dwie książki.

Ja wybrałem dziewiątą część serii „Magia i Potwory. Mroczne Królestwo". Uznałem, że mamie się spodoba, bo jest naprawdę długa i nie ma żadnych obrazków.

Ale mama nie była zachwycona. Powiedziała, że nie pochwala ilustracji na okładce ze względu na sposób, w jaki przedstawia ona kobiety.

Przeczytałem „Armagedon Cieni" i z tego, co pamiętam, w środku nie ma żadnych kobiet. Nie jestem nawet pewien, czy autor ilustracji w ogóle PRZECZYTAŁ książkę.

Mama oświadczyła, że skorzysta z prawa weta przysługującego jej jako założycielce Klubu Dobrej Książki i zdecyduje za nas. Wybrała „Pajęczynę Charlotty", która wygląda mi na „klasykę".

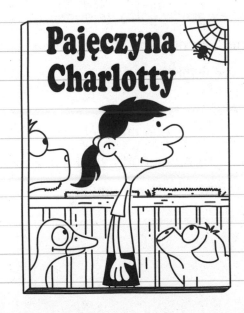

Wystarczy jeden rzut oka na okładkę, żeby zgadnąć, że albo dziewczynka, albo prosiak nie dożyje do końca książki.

Piątek
Klub Dobrej Książki ma już tylko jednego członka – mnie.

Wczoraj Rowley grał w golfa ze swoim tatą i zostawił mnie na lodzie. Nie przeczytałem lektury, więc bardzo liczyłem na jego wsparcie.

To nie moja wina, że tego nie zrobiłem. Wczoraj mama kazała mi siedzieć nad książką przez dwadzieścia minut, ale ja nie umiem koncentrować uwagi tak długo.

Kiedy przyłapała mnie na zabawie, dostałem szlaban
na telewizję, do czasu gdy przeczytam książkę.
I dlatego wczoraj wieczorem musiałem poczekać, aż
mama pójdzie spać, żeby móc trochę się rozerwać.

Cały czas myślałem o łapie z bagien. Bałem się, że jeśli
będę w nocy samotnie oglądał telewizję, łapa wyczołga
się spod kanapy i złapie mnie za nogę albo coś w tym
stylu.

Rozwiązałem problem w ten sposób, że rozrzuciłem
ubrania i inne rzeczy po podłodze, aż powstała ścieżka
z mojego pokoju aż do salonu. Dzięki niej mogłem

pójść na dół i wrócić, ani razu nie dotykając klepki
bosą stopą.

Dziś rano tato potknął się o słownik, który zostawiłem
na samej górze schodów, i teraz jest na mnie
okropnie zły. Ale ja i tak wolę jego wściekłość
niż atak łapy z bagien.

Doszedłem do wniosku, że łapa może wpełznąć na
łóżko, kiedy będę spał. Dlatego postanowiłem przykryć
wszystkie części ciała i zostawić tylko mały otwór
do oddychania.

Ta strategia ma jednak swoje minusy. Dziś
Rodrick wpadł do mojego pokoju i przez cały ranek
próbowałem zmyć z ust smak brudnej skarpetki.

<u>Niedziela</u>

Dziś miałem skończyć trzy pierwsze rozdziały
„Pajęczyny Charlotty". Kiedy mama zauważyła, że
jeszcze tego nie zrobiłem, kazała mi usiąść przy stole
kuchennym i siedzieć tam, dopóki nie skończę.

Jakieś pół godziny później ktoś zapukał do drzwi.
Był to Rowley. Myślałem, że wrócił do Klubu Dobrej
Książki, ale kiedy zauważyłem jego tatę, poczułem,
że będzie afera.

Pan Jefferson przyniósł jakiś papier z klubu.
Powiedział, że to rachunek za wszystkie koktajle
owocowe, które Rowley i ja zamówiliśmy, i że
należność wynosi osiemdziesiąt trzy dolary.

Zawsze kiedy zamawialiśmy napoje, podawaliśmy
numer konta pana Jeffersona. Nikt nam nie
powiedział, że trzeba będzie za to PŁACIĆ.

Dalej nie rozumiem, czemu pan Jefferson przyszedł akurat do MNIE. Jest architektem albo kimś podobnym, więc jeśli potrzebuje osiemdziesięciu trzech dolców, to chyba może zaprojektować kolejny budynek? Ale on i mama uznali, że Rowley i ja musimy zapłacić za te koktajle.

Powiedziałem mamie, że jesteśmy tylko dziećmi, więc nie zarabiamy pieniędzy, ale ona stwierdziła, że musimy wykazać się „kreatywnością". Potem dodała, że trzeba będzie zawiesić spotkania Klubu Dobrej Książki, do czasu aż spłacimy cały dług.

Jeśli mam być szczery, poczułem ulgę. W tej chwili wszystko wydaje mi się lepsze od czytania.

## Wtorek

Wczoraj Rowley i ja łamaliśmy sobie głowę, próbując
wymyślić sposób na zdobycie osiemdziesięciu trzech
dolarów. Rowley zaproponował, żebym po prostu
poszedł do bankomatu i wypłacił trochę forsy,
a potem oddał jego tacie.

Wpadł na ten pomysł, bo myśli, że jestem nadziany.
Kilka lat temu przyszedł do mnie w odwiedziny, a nam
akurat skończył się papier toaletowy. Cała rodzina
używała świątecznych serwetek, do czasu aż
tata pojechał po zakupy.

Rowley uznał, że to jakiś szpanerski papier toaletowy,
i spytał, czy jesteśmy bogaci.

Skorzystałem z okazji, żeby zrobić na nim wrażenie.

Oczywiście NIE jestem nadziany i na tym polega problem. Zastanawiałem się, w jaki sposób dzieciak w moim wieku może zarobić trochę kasy, i w końcu doznałem olśnienia: będziemy kosić trawniki.

Nie chodzi mi naturalnie o zwykłe koszenie, lecz o firmę, która uczyni z tego sztukę. Dlatego wybraliśmy nazwę TRAWNIKI DLA VIP-ÓW.

Zadzwoniliśmy do Panoramy Firm i powiedzieliśmy, że chcemy umieścić ogłoszenie. Wielkie, kolorowe, na dwie strony.

Ale wiecie co? Panorama Firm policzyła nam kilka tysięcy dolców.

Bez sensu. Jak niby mieliśmy zapłacić za ogłoszenie, skoro nie zarobiliśmy jeszcze ani grosza?

Rowley i ja doszliśmy do wniosku, że będziemy musieli postarać się o WŁASNE ogłoszenia.

Pomyślałem, że moglibyśmy zrobić ulotki i włożyć je do wszystkich skrzynek pocztowych w sąsiedztwie. Na początek potrzebujemy artykułów papierniczych.

No więc poszliśmy do sklepu na rogu i kupiliśmy jedną z tych kartek, które kobiety dają sobie na urodziny.

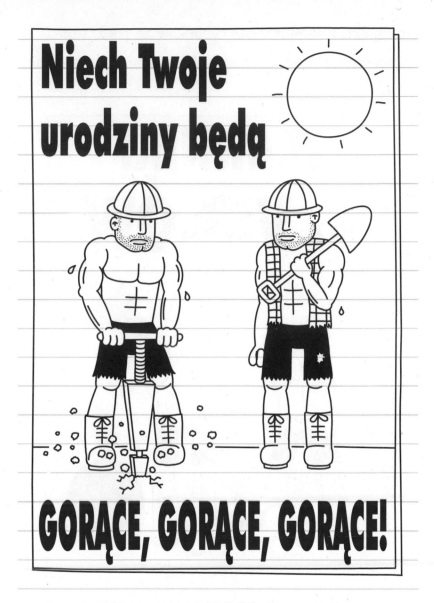

Zeskanowaliśmy zdjęcie na komputerze Rowleya
i dokleiliśmy fotki NASZYCH głów do ciał z kartki.

Potem dołożyliśmy trochę rysunków ze sprzętem ogrodowym. Całość wydrukowaliśmy i muszę przyznać, że wygląda odlotowo.

# TRAWNIKI
## DLA VIP-ÓW

TY I TWÓJ TRAWNIK
ZASŁUGUJECIE NA USŁUGI
OGRODNICZE ŚWIATOWEJ KLASY!
ZADZWOŃ: 555-2941

Obliczyłem, że papier i kolorowy tusz potrzebne do wydrukowania ulotek dla wszystkich sąsiadów kosztowałyby nas kilkaset dolców. Dlatego poprosiliśmy tatę Rowleya, żeby pojechał do sklepu i kupił nam to wszystko.

Pan Jefferson odmówił. Powiedział nawet, że nie możemy już korzystać z jego drukarki.

Trochę mnie to zaskoczyło, bo jeśli chce, żebyśmy oddali mu kasę, nie powinien rzucać nam kłód pod nogi. Nie mieliśmy jednak wyboru. Wzięliśmy ulotkę i wynieśliśmy się z jego gabinetu.

Potem chodziliśmy od domu do domu, żeby pokazać wszystkim naszą ulotkę i opowiedzieć im o TRAWNIKACH DLA VIP-ÓW.

Po odwiedzeniu kilku domów skumaliśmy, że dużo łatwiej będzie poprosić następną osobę, żeby podała ulotkę dalej. W ten sposób Rowley i ja oszczędzimy sobie łażenia.

Teraz wystarczy tylko odbierać telefony.

Czwartek
Rowley i ja czekaliśmy wczoraj przez cały dzień. Nikt nie zadzwonił.

Zacząłem się zastanawiać, czy nie powinniśmy
poszukać kartki z bardziej umięśnionymi facetami.
A dziś, około jedenastej, zadzwoniła pani Canfield,
sąsiadka babci. Powiedziała, że jej trawnik wymaga
koszenia, ale zanim nas zatrudni, musimy przedstawić
referencje.

Kiedyś kosiłem trawnik babci, więc zadzwoniłem do
niej i poprosiłem, żeby mnie poleciła pani Canfield.

Babcia miała chyba kiepski dzień, bo strasznie mnie
ochrzaniła. Powiedziała, że w zeszłym roku zostawiłem
na jej trawniku sterty liści i teraz wszędzie są plamy

uschniętej trawy. Potem zapytała, kiedy przyjdę
i dokończę robotę.

Nie o to mi chodziło. Powiedziałem babci, że teraz
pracujemy tylko za pieniądze, ale może wpadniemy
do niej jeszcze tego lata.

Potem zadzwoniłem do pani Canfield i podałem się za
babcię. Całe szczęście, że jeszcze nie przechodziłem
mutacji.

Wierzcie lub nie, ale pani Canfield to kupiła. Podziękowała „babci" za referencje i odłożyła słuchawkę. Kilka minut później oddzwoniła, a ja mówiłem już normalnym głosem. Powiedziała, że nas zatrudni i żebyśmy przyszli do niej dziś po południu.

Problem w tym, że pani Canfield mieszka dosyć daleko, więc zapytałem, czy nie mogłaby po nas przyjechać. Nie była zachwycona, że nie mamy własnego samochodu, ale zgodziła się wpaść, jeśli będziemy gotowi w południe.

Przyjechała o dwunastej furgonetką syna i zapytała, gdzie nasza kosiarka i reszta sprzętu.

Powiedziałem jej, że nie mamy WŁASNEGO sprzętu,
i dodałem, że babcia nigdy nie zamyka drzwi
kuchennych, więc będę mógł się zakraść i na kilka
godzin pożyczyć kosiarkę. Pani Canfield chyba była
zdesperowana, bo zgodziła się na wszystko.

Na szczęście babci nie było w domu, więc bez
problemu zabrałem kosiarkę. Zaciągnąłem ją
na podwórko pani Canfield i zabraliśmy się
do pracy.

I właśnie wtedy zdaliśmy sobie sprawę, że żaden
z nas nigdy nie obsługiwał kosiarki. Zaczęliśmy
kombinować, jak by tu ją włączyć.

Niestety, kiedy przechyliliśmy kosiarkę na bok, cała benzyna wylała się na trawę i musieliśmy wrócić do babci po więcej paliwa.

Przy okazji wziąłem instrukcję obsługi. Próbowałem ją przeczytać, ale okazało się, że została napisana po hiszpańsku. Z fragmentów, które ZDOŁAŁEM zrozumieć, wywnioskowałem, że obsługa kosiarki jest znacznie bardziej niebezpieczna, niż sądziłem.

Powiedziałem Rowleyowi, żeby zaczął kosić, a ja usiądę w cieniu i popracuję nad naszym biznesplanem.

Rowley nie był zachwycony. Powiedział, że to ma być „spółka" i że wszystko musimy robić po połowie. Byłem mocno zaskoczony, bo to ja wpadłem na pomysł z koszeniem, więc jestem raczej właścicielem niż wspólnikiem.

Wyjaśniłem mu, że ktoś musi odwalać brudną robotę, a ktoś inny trzymać kasę czystymi rękoma.

Pewnie nie uwierzycie, ale Rowley olał robotę i sobie poszedł.

Chciałbym dodać, że jeśli będzie kiedyś potrzebował referencji, to wystawię mu kiepską opinię.

Prawdę mówiąc, w ogóle go nie potrzebuję. Jeśli firma rozwinie się tak, jak to zaplanowałem, będzie dla mnie pracować STU Rowleyów.

Na razie jednak trzeba było skosić trawnik pani Canfield. Przestudiowałem instrukcję i doszedłem do wniosku, że muszę pociągnąć za takie coś przymocowane do kabla.

Kosiarka natychmiast zaskoczyła.

Nie było tak źle, jak się spodziewałem. Maszyna działała automatycznie, więc tylko ją kierowałem w odpowiednią stronę.

Potem zauważyłem, że cały trawnik jest pokryty psimi kupami. Niełatwo było je omijać.

Firma TRAWNIKI DLA VIP-ÓW ma bardzo surowe zasady dotyczące psich kup. Nie zbliżamy się do nich.

Od tego momentu na widok czegokolwiek podejrzanego odjeżdżałem na odległość trzech metrów. Tak na wszelki wypadek.

Praca szła mi odtąd znacznie szybciej, bo miałem mniej do koszenia. Kiedy skończyłem, poszedłem po pieniądze. Rachunek wyniósł trzydzieści dolarów: dwadzieścia za koszenie plus dziesięć za opracowanie ulotki.

Jednak pani Canfield nie chciała zapłacić. Powiedziała, że nasze usługi są „fatalne" i że prawie nie tknęliśmy trawnika.

Wytłumaczyłem jej, że miałem problem z psimi kupami, ale ona nadal nie chciała mi zapłacić. Nie odwiozła mnie nawet do domu. Wiecie co? Miałem przeczucie, że tego lata ktoś spróbuje nas oszukać, ale nie sądziłem, że będzie to nasz pierwszy klient.

Musiałem wrócić do domu piechotą, a kiedy już dotarłem na miejsce, byłem naprawdę wkurzony. Opowiedziałem tacie o koszeniu trawnika i o oburzającym zachowaniu pani Canfield.

Tata od razu do niej pojechał, a ja razem z nim. Myślałem, że ją ochrzani za wykorzystanie jego syna i chciałem to zobaczyć. Ale tata wziął tylko kosiarkę babci i skosił trawnik pani Canfield.

Kiedy skończył, nie zażądał nawet pieniędzy.

Nasza wycieczka nie była jednak KOMPLETNĄ stratą czasu. Gdy tata kosił trawnik, zostawiłem ogłoszenie w ogródku pani Canfield.

Uznałem, że skoro nic nie zarobiłem, mogę
przynajmniej zareklamować się za darmo.

<u>Sobota</u>

Firma TRAWNIKI DLA VIP-ÓW nie rozwija się
zgodnie z planem. Od tamtego razu nie dostałem ani
jednego zlecenia i zaczynam podejrzewać, że pani
Canfield obmawia mnie przed sąsiadami.

Myślałem nawet, żeby się poddać i wycofać
z interesu, ale przyszło mi do głowy, że po drobnych
zmianach ulotka może być aktualna także zimą.

**ODŚNIEŻANIE DLA VIP-ÓW**

GDY WYMIĘKA CAŁA RESZTA,
NASZA FIRMA JEST NAJLEPSZA!

Problem w tym, że pieniędzy potrzebuję TERAZ.

Zadzwoniłem do Rowleya, żeby przyszedł na burzę

mózgów, ale on był akurat w kinie ze swoim tatą.

Trochę się wkurzyłem, bo wcale nie prosił mnie

o wolne.

Mama nie pozwala mi na żadne rozrywki, dopóki nie zapłacę za koktajle, więc SAM muszę zakasać rękawy.

Powiem wam, kto ma mnóstwo kasy. Manny. Ten dzieciak jest NADZIANY. Kilka tygodni temu rodzice mu powiedzieli, że dostanie dwadzieścia pięć centów za każdym razem, kiedy skorzysta z nocnika. Teraz młody wszędzie łazi z wielką butlą wody.

Manny trzyma pieniądze w słoju na komodzie. Ma tam co najmniej 150 dolców.

Chciałem poprosić go o pożyczkę, ale duma mi nie pozwoliła. Poza tym na pewno zażądałby odsetek.

Kombinuję, jak by tu zarobić trochę forsy bez wysiłku, ale kiedy powiedziałem o tym mamie, nazwała mnie „nierobem".

Dobra, może i JESTEM nierobem, ale to nie moja wina. Taki się już urodziłem. Gdyby ktoś wcześniej zauważył mój problem, może byłbym teraz inny.

Pamiętam, że w przedszkolu po zabawie musieliśmy odkładać zabawki na miejsce i śpiewać „Piosenkę o sprzątaniu". Śpiewałem razem z innymi, ale wcale nie sprzątałem.

Więc jeśli szukacie winnego, to za moje lenistwo odpowiada państwowy system edukacji.

Niedziela

Dziś rano mama przyszła do mojego pokoju i kazała mi iść do kościoła. Nie protestowałem, bo potrzebuję dodatkowej mocy, żeby zapłacić za koktajle.
Kiedy babcia czegoś chce, po prostu modli się o to i załatwione.

Chyba ma stałe łącze z Panem Bogiem.

Nie wiem czemu, ale u mnie to nie działa. Co nie

znaczy, że nie będę próbował.

Dzisiejsze kazanie było o „Jezusie w przebraniu".
Pastor mówił, żebyśmy dobrze traktowali wszystkich,
których spotykamy, bo nigdy nie wiemy, czy to
przypadkiem nie Jezus udający kogoś innego.

Chodziło mu chyba o to, żebyśmy byli lepszymi ludźmi,
ale ja się okropnie zdenerwowałem, bo już wiem, że na
pewno popełnię błąd.

Jak co tydzień, zbierano na tacę, a ja myślałem
tylko o tym, że potrzebuję forsy bardziej niż ludzie,
którzy ją dostaną.

Mama chyba się domyśliła, co mi chodzi po głowie, bo podała tacę dalej, zanim zdążyłem coś z niej wyjąć.

Poniedziałek

W tym tygodniu są moje urodziny. Już nie mogę się doczekać. Impreza będzie RODZINNA. Ciągle jestem wściekły na Rowleya o to, że odszedł z naszego interesu, więc niech sobie nie myśli, że może tu przyjść i jeść mój tort.

Poza tym wiem z doświadczenia, jak wyglądają imprezy dla kolegów. Na takich przyjęciach wszyscy uważają, że mają prawo się bawić twoimi prezentami.

W dodatku za każdym razem mama zaprasza dzieci
JEJ znajomych, więc przychodzą do mnie goście,
których ledwo znam.

Te dzieciaki nie wybierają prezentów same. Robią
to ich MAMY. Dlatego nawet jeśli człowiek dostanie
jakąś grę wideo, nie ma ochoty w nią grać.

Na szczęście tego lata nie trenuję pływania.
W zeszłym roku trening wypadł w moje urodziny
i mama podrzuciła mnie na basen.

Z okazji urodzin dostałem tyle kuksańców, że potem
nie miałem siły pływać.

Rozumiecie więc, że wolę trzymać inne dzieciaki
z daleka od mojej imprezy.

Mama powiedziała, że mogę urządzić przyjęcie dla
rodziny, pod warunkiem że nie zrobię z kartkami
urodzinowymi tego, co zawsze. Ale kanał! Musicie
wiedzieć, że mam ŚWIETNY sposób na kartki
z życzeniami. Układam koperty w równy stosik,
a potem rozdzieram każdą z nich i wytrząsam
pieniądze. Jeśli nie tracę czasu na czytanie,
przerabiam dwadzieścia kartek w niecałą minutę.

Mama twierdzi, że w ten sposób „obrażam" swoich
gości. Mówi, że tym razem muszę przeczytać
wszystkie życzenia i podziękować osobom, od których
je dostałem. Spowolni to cały proces, ale i tak się
opłaci.

Zastanawiałem się, co chcę na urodziny.
ZDECYDOWANIE psa.

Proszę o psa już od trzech lat, ale mama powtarza, że musimy poczekać, aż Manny będzie umiał korzystać z ubikacji. A młody robi z tym taki cyrk, że pewnie będę czekał DO KOŃCA ŚWIATA.

Wiem, że tata też chce psa. Miał jednego w dzieciństwie, więc po prostu trzeba go trochę zachęcić.

W ostatnie Boże Narodzenie okazja sama się nadarzyła, bo wujek Joe odwiedził nas z rodziną i ze swoim Zabójcą.

Poprosiłem wujka, aby zasugerował tacie, że powinniśmy mieć psa. Problem w tym, że przez sugestie wujka Joego trzeba było wszystko zaczynać od początku...

Kolejną rzeczą, jakiej na pewno nie dostanę na urodziny, jest telefon komórkowy. Mogę za to podziękować Rodrickowi.

W zeszłym roku mama i tata kupili mu komórkę, a on w miesiąc wygadał trzysta dolców. Zresztą głównie rozmawiał z rodzicami. Dzwonił do nich ze swojego pokoju w piwnicy i prosił, żeby podkręcili ogrzewanie.

I dlatego w tym roku proszę tylko o luksusowy rozkładany fotel. Wujek Charlie ma taki i właściwie z niego nie schodzi.

Chciałbym mieć własny rozkładany fotel, bo wtedy nie musiałbym wracać do pokoju po wieczornym oglądaniu telewizji. Mógłbym po prostu spać na fotelu.

Poza tym te fotele mają mnóstwo bajerów – masowanie karku, regulowane siedzenie i takie tam. Myślę, że dzięki wibracjom wykłady taty byłyby znośniejsze.

Musiałbym wstawać tylko po to, żeby skorzystać z toalety. Ale może powinienem poczekać do przyszłego roku. Wtedy na pewno wypuszczą model, który rozwiąże ten problem.

## Czwartek

Poprosiłem dziś mamę, żeby znowu zabrała mnie do salonu piękności, chociaż włosy jeszcze mi nie odrosły. Po prostu chciałbym usłyszeć najnowsze plotki.

Annette, moja fryzjerka, dowiedziała się od jakiejś znajomej pani Jefferson, że jestem pokłócony z Rowleyem.

Rowley jest podobno „załamany", bo nie zaprosiłem go na przyjęcie urodzinowe. No cóż, jeśli to prawda, nic po nim nie widać.

Za każdym razem widzę Rowleya z jego tatą. Moim zdaniem znalazł już nowego najlepszego kumpla.

Muszę powiedzieć, że nie ma sprawiedliwości na tym świecie: Rowley znów jeździ do klubu, mimo że nadal wisi ojcu forsę za koktajle.

Niestety, ich „kumpelstwo" zaczyna też wpływać na MOJE życie. Mama uważa, że to „urocze", gdy Rowley spędza czas ze swoim tatą, i że my (czyli mój tata i ja) też powinniśmy pojechać razem na ryby albo pograć w piłkę na podwórku.

Problem w tym, że tata i ja niespecjalnie się nadajemy do takich rzeczy. Ostatnim razem, kiedy mama zmusiła nas do zrobienia czegoś razem, musiałem wyciągać go ze strumienia.

Mama jednak nie odpuszcza. Mówi, że życzyłaby sobie więcej „bliskości" między nami, chłopakami. Doprowadziło to już do kilku niezręcznych sytuacji.

<u>Piątek</u>

Dziś oglądałem sobie telewizję i nikomu nie
przeszkadzałem, gdy nagle usłyszałem pukanie
do drzwi. Mama powiedziała, że przyszedł „kolega",
więc pomyślałem, że to Rowley chce mnie
przeprosić.

Ale to nie był Rowley. To był FREGLEY.

Kiedy już przezwyciężyłem szok, zatrzasnąłem mu
drzwi przed nosem. Wpadłem w panikę, bo nie miałem
pojęcia, co Fregley robi pod moimi drzwiami.
Po kilku minutach wyjrzałem przez okno. I on
ciągle tam był.

Wiedziałem, że muszę sięgnąć po radykalne środki,
więc poszedłem do kuchni, żeby zadzwonić po gliny.
Jednak mama nie pozwoliła mi wykręcić numeru.

Powiedziała, że to ONA zaprosiła Fregleya, bo
jestem taki „samotny" od czasu kłótni z Rowleyem.
Postanowiła mi znaleźć kolegę „do zabawy".

Właśnie dlatego nigdy nie opowiadam mamie o sprawach osobistych. Pomysł z Fregleyem to kompletna katastrofa.

Słyszałem, że wampir nie może wejść do czyjegoś domu bez zaproszenia. Z Fregleyem na pewno jest tak samo.

Teraz mam już dwa zmartwienia: łapę z bagien i Fregleya. Gdybym miał wybierać, zdecydowanie wolę, żeby dorwała mnie łapa.

Sobota

Czyli moje urodziny. Wszystko poszło mniej więcej tak, jak się spodziewałem. Krewni zaczęli przychodzić około pierwszej. Poprosiłem mamę, żeby zaprosiła jak najwięcej osób, bo to oznacza masę prezentów.

Chciałem jak najszybciej przejść do rzeczy, więc powiedziałem wszystkim, żeby zebrali się w salonie.

Tak jak prosiła mama, dużo czasu poświęciłem kartkom. Było to trochę męczące, ale zarobiłem sporo kasy, więc mi się opłaciło.

Niestety, zaraz potem mama skonfiskowała mi pieniądze, żeby spłacić dług wobec pana Jeffersona.

Potem zająłem się resztą prezentów, ale wcale nie było ich dużo. Pierwszy, od rodziców, okazał się mały i ciężki. Uznałem to za dobry znak. Ale i tak byłem w szoku, kiedy rozdarłem papier.

Gdy obejrzałem dokładniej telefon, zobaczyłem, że to nie jest zwykła komórka. Nie miała klawiatury ani niczego w tym stylu, tylko dwa przyciski: jeden, żeby zadzwonić do domu, a drugi, żeby wezwać policję. Kompletnie bez sensu.

Wśród pozostałych prezentów były ciuchy i inne niepotrzebne rzeczy. Ciągle miałem nadzieję na fotel, ale w końcu zrozumiałem, że rodzice nie mieliby go w co zapakować.

Potem mama zaprosiła wszystkich do jadalni na tort. Niestety, Zabójca, pies wujka Joego, dotarł tam jako pierwszy.

Sądziłem, że mama pojedzie po nowy tort, ale ona tylko wzięła nóż i odcięła części nieruszone przez psa.

Ukroiła mi wielki kawałek, ale ja straciłem już apetyt. Zwłaszcza że Zabójca rzygał pod stołem świeczkami.

## Niedziela

Mama ma chyba wyrzuty sumienia z powodu moich nieudanych urodzin, bo dziś powiedziała, że możemy pojechać do centrum handlowego po „prezent na otarcie łez".

Zabrała też Manny'ego i Rodricka i powiedziała, że każdy z nas może sobie wybrać jedną rzecz. To strasznie nie fair, bo oni NIE mieli wczoraj urodzin.

Trochę połaziliśmy po centrum handlowym i w końcu wylądowaliśmy w sklepie zoologicznym. Myślałem, że moglibyśmy złożyć się na psa, ale Rodrick wolał inne zwierzątko.

Mama dała każdemu z nas po pięć dolców i oświadczyła, że możemy kupić, co nam się podoba. Tyle tylko, że za pięć dolców trudno znaleźć coś odlotowego w sklepie zoologicznym. W końcu wybrałem fajnego, kolorowego skalara.

Rodrick też wybrał rybkę. Nie wiem, jak się nazywa, ale Rodrick ją kupił, bo na akwarium napisali, że to „agresywny gatunek".

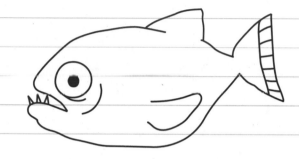

Manny wydał swoją forsę na pokarm dla rybek.

Najpierw myślałem, że chce karmić nasze, ale kiedy wróciliśmy do domu, okazało się, że zeżarł już pół pudełka.

Poniedziałek

Pierwszy raz mam własne zwierzątko i coraz bardziej mnie to kręci. Karmię rybkę trzy razy dziennie i pilnuję, żeby akwarium było czyste.

Kupiłem nawet zeszyt, w którym codziennie opisuję jej zachowanie. Muszę jednak przyznać, że nie bardzo mam CO opisywać.

Poprosiłem rodziców, żeby kupili mi duże akwarium i mnóstwo rybek do towarzystwa dla mojego skalara, ale tata stwierdził, że takie rzeczy sporo kosztują i że mogę poprosić o nie pod choinkę.

Właśnie dlatego nie opłaca się być dzieckiem. Są tylko dwie okazje, żeby dostać fajny prezent: Gwiazdka i urodziny. A kiedy już przychodzi jeden z tych dwóch dni, rodzice kupują ci Biedronkę.

Gdybym miał własną forsę, nie musiałbym robić
sobie obciachu za każdym razem, kiedy mam ochotę
wypożyczyć film albo kupić coś słodkiego.

Zawsze wiedziałem, że któregoś dnia będę bogaty
i sławny, ale zaczynam się niepokoić, bo na razie
nic z tego. W moim wieku powinienem mieć już
PRZYNAJMNIEJ własne show telewizyjne.

Wczoraj wieczorem oglądałem program, w którym
niania przyjeżdża do różnych rodzin i tłumaczy, co
z nimi jest nie tak.

Nie wiem, czy musiała chodzić do specjalnej szkoły dla niań, ale ta robota jest po prostu STWORZONA dla mnie.

Muszę tylko sprawdzić, jak mógłbym załapać się na tę fuchę, kiedy Superniania przejdzie na emeryturę.

Kilka lat temu zacząłem zbierać osobiste pamiątki: wypracowania, stare zabawki i takie tam. Kiedy już otworzą muzeum mojego imienia, chciałbym, żeby było w nim pełno ciekawych rzeczy.

Nie przechowuję jednak patyczków po lizakach z resztkami mojej śliny, bo NIE POTRZEBUJĘ klonów.

Kiedy zostanę sławny, moje życie się zmieni.

Pewnie będę latał prywatnymi odrzutowcami, bo
w normalnych samolotach wkurzałoby mnie, gdyby
pasażerowie próbowali wepchnąć się na krzywy ryj
do mojej łazienki w pierwszej klasie.

Poza tym sławni ludzie muszą jakoś ścierpieć, że ich
młodsze rodzeństwo też staje się znane.

Najbliżej sławy byłem kilka lat temu, kiedy mama
zgłosiła mnie na casting dla modeli. Chodziło jej
chyba o to, żeby moje fotki drukowali w katalogach
z ciuchami i takich tam.

Ale oni wykorzystali moje zdjęcie tylko w jakiejś
głupiej książce medycznej, a ja muszę z tym żyć.

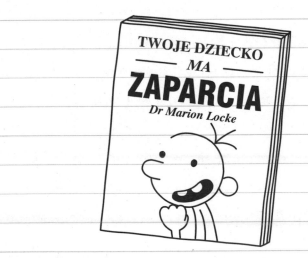

Wtorek
Przez całe popołudnie grałem na komputerze
i czytałem niedzielne komiksy.

Zajrzałem na ostatnią stronę gazety. Tam, gdzie drukowali kiedyś „Słodkiego urwisa", było ogłoszenie.

# Chcesz wystąpić w Kąciku Humoru?

**Szukamy utalentowanego rysownika, który stworzy komiks na miarę „Słodkiego urwisa". Potrafisz nas rozbawić?**

Historyjki o zwierzętach nie będą brane pod uwagę

Kurczę, od WIEKÓW czekałem na taką okazję. Kiedyś drukowali mój komiks w gazetce szkolnej, ale teraz pojawiła się szansa na PRAWDZIWĄ sławę.

W ogłoszeniu napisali, że nie przyjmują komiksów o zwierzętach. Chyba wiem dlaczego. Jest taki jeden o psie pod tytułem „Pieszczoszek" i drukują go od jakichś pięćdziesięciu lat.

Rysownik umarł dawno temu, ale oni ciągle puszczają jego stare komiksy.

Nie wiem, czy są śmieszne, czy nie. Jeśli mam być szczery, większość z nich jest kompletnie bez sensu dla kogoś w moim wieku.

Ludzie z gazety już kilka razy próbowali pozbyć się tego komiksu, ale za każdym razem fani „Pieszczoszka" wyłażą ze swoich nor i robią straszny raban. Ludzie myślą chyba, że ten psiak to ich własne zwierzątko.

Ostatnio, kiedy gazeta próbowała zrezygnować z „Pieszczoszka", pod redakcję przyjechały cztery autobusy pełne emerytów z lokalnego domu spokojnej starości. Staruszkowie protestowali, dopóki nie postawili na swoim.

## Sobota

Dziś rano mama była strasznie zadowolona i od razu zrozumiałem, że coś knuje.

O dziesiątej kazała nam wsiąść do samochodu. Kiedy spytałem, dokąd jedziemy, powiedziała, że to „niespodzianka".

Zauważyłem, że spakowała do bagażnika krem
z filtrem i stroje kąpielowe, więc uznałem, że
jedziemy na plażę.

Ale kiedy zacząłem ją wypytywać, oświadczyła, że
jedziemy gdzieś, gdzie będzie FAJNIEJ niż na plaży.

Tak czy inaczej, jechaliśmy bardzo długo. A wcale
nie było fajnie na tylnym siedzeniu z Rodrickiem
i Mannym.

Manny siedział w środku i w pewnym momencie Rodrick postanowił mu powiedzieć, że to najgorsze, najmniejsze i najmniej wygodne miejsce w samochodzie.

No i Manny dostał szału.

W końcu rodzicom znudziły się jego wrzaski. Mama kazała usiąść pośrodku MNIE, żeby było „uczciwie", więc przy każdym wyboju waliłem głową o dach.

Około czternastej zrobiłem się strasznie głodny i spytałem, czy moglibyśmy kupić coś do żarcia, ale tata nie chciał się zatrzymać, bo jego zdaniem ludzie w barach dla zmotoryzowanych to idioci.

Wiem, czemu tak uważa. Za każdym razem, kiedy jedzie po smażonego kurczaka, próbuje złożyć zamówienie, mówiąc do kubła na śmieci.

POPROSZĘ DWA
SUPERZESTAWY
I BUTELKĘ... HALO? HALO?

Zauważyłem reklamę pizzerii i poprosiłem rodziców, żebyśmy przystanęli. Mama chciała chyba na mnie zaoszczędzić, bo była przygotowana.

Pół godziny później zatrzymaliśmy się na wielkim parkingu i już wiedziałem, gdzie jesteśmy.

Rodzice przywieźli nas do parku wodnego, który często odwiedzaliśmy, kiedy byłem mały. NAPRAWDĘ mały. To miejsce dla dzieciaków w wieku Manny'ego.

Mama chyba usłyszała, jak Rodrick i ja wzdychamy ciężko na tylnym siedzeniu, bo powiedziała, że nasza rodzina spędzi razem wspaniały dzień, najlepszy z całych wakacji.

Mam złe wspomnienia z parku wodnego. Kiedyś zabrał mnie tam dziadek i zostawił przy zjeżdżalniach na cały dzień. Powiedział, że idzie poczytać książkę i że spotkamy się za trzy godziny. Tylko że ja nie mogłem wejść na zjeżdżalnię, bo ustawili taki znak:

**DZIECI PONIŻEJ 1,2 M** WZROSTU MOGĄ KORZYSTAĆ ZE ZJEŻDŻALNI WYŁĄCZNIE POD OPIEKĄ OSOBY DOROSŁEJ.

Myślałem, że wystarczy przyjść z kimś starszym, ale okazało się, że dorosły musi opiekować się dzieckiem przez cały czas.

No i zmarnowałem dzień, czekając na dziadka,
a potem musieliśmy już wracać do domu.

Rodrick też ma fatalne wspomnienia. W zeszłym
roku jego kapela miała grać na scenie koło basenu ze
sztucznymi falami. Rodrick poprosił gości z obsługi,
żeby załatwili im maszynę do robienia dymu.

Ale ktoś się pomylił i zamiast maszyny do robienia
dymu kapela dostała maszynę do puszczania baniek
mydlanych.

Dowiedziałem się, czemu mama wzięła nas do parku
właśnie dzisiaj: mieli pięćdziesięcioprocentową
zniżkę dla rodzin. Niestety, o zniżce wiedziały prawie
wszystkie rodziny z naszego stanu.

Kiedy weszliśmy do środka, mama wypożyczyła wózek
dla Manny'ego. Przekonałem ją, żeby wydała trochę
więcej i wzięła podwójny, bo czułem, że czeka nas
długi dzień i chciałem zachować siły.

Mama zatrzymała wózek koło basenu ze sztucznymi falami. Był tak zatłoczony, że prawie nie widziałem wody. Posmarowaliśmy się kremem i znaleźliśmy miejsce do siedzenia. Właśnie wtedy poczułem na skórze krople deszczu i usłyszałem grzmot. Potem usłyszeliśmy komunikat z głośników.

Z POWODU BURZY PARK WODNY ZOSTANIE ZAMKNIĘTY. DZIĘKUJEMY ZA PRZYBYCIE I ŻYCZYMY MIŁEGO DNIA.

Wszyscy rzucili się w stronę wyjścia i samochodów. No i zrobił się straszny korek.

Manny próbował nas rozerwać, opowiadając dowcipy.
Początkowo rodzice zachęcali go do tego.

Ale potem Manny zaczął bredzić.

Kończyła się nam benzyna, więc musieliśmy wyłączyć
klimatyzację i czekać, aż parking opustoszeje.

Mama powiedziała, że boli ją głowa, i położyła się z tyłu. Po jakiejś godzinie wreszcie wyjechaliśmy na autostradę.

Zatrzymaliśmy się na stacji benzynowej, a po czterdziestu pięciu minutach byliśmy w domu. Tata kazał mi obudzić mamę, ale kiedy zajrzałem na tył samochodu, jej tam nie było.

Przez chwilę nie wiedzieliśmy, co się z nią stało. W końcu doszliśmy do wniosku, że na pewno wysiadła na stacji benzynowej. Pewnie poszła do łazienki i nikt z nas tego nie zauważył.

Faktycznie, została na stacji. Ucieszyliśmy się na jej widok, ale ona WCALE nie była zachwycona.

W drodze do domu nie odezwała się ani słowem. Chyba
na jakiś czas ma dosyć wspólnego spędzania czasu.
Całe szczęście.

Niedziela

Żałuję, że pojechaliśmy wczoraj na wycieczkę, bo
gdybyśmy zostali w domu, moja rybka nadal by żyła.

Przed wyjazdem ją nakarmiłem. Mama kazała mi
też zadbać o rybkę Rodricka. Rodrick trzyma ją na
lodówce i od razu widać, że w ogóle nie dawał jej jeść
ani nie czyścił akwarium.

Jego rybka żywiła się chyba algami rosnącymi
na ściankach.

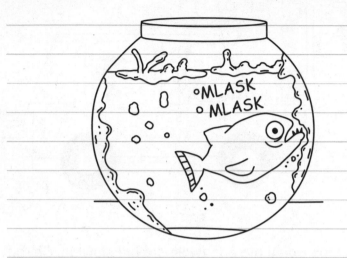

Kiedy mama zobaczyła akwarium Rodricka,
stwierdziła, że to ohydne. Wyjęła więc jego rybkę
i wrzuciła do mojej.

Po powrocie z parku wodnego poszedłem prosto do
kuchni, żeby nakarmić moją rybkę. Ale rybki nie było
i od razu zgadłem, co się z nią stało.

Nie miałem nawet czasu, żeby się zmartwić, bo dziś
jest Dzień Ojca. Musieliśmy wsiąść do samochodu
i pojechać do dziadka na lunch.

Powiem wam jedno: jeśli kiedykolwiek zostanę ojcem,
NA PEWNO nie ubiorę się w koszulę z krawatem
i nie pojadę świętować Dnia Ojca w domu spokojnej
starości. Będę się dobrze bawił. SAM. Ale mama
uznała, że trzy pokolenia mężczyzn z rodziny
Heffleyów powinny spędzić trochę czasu razem.

Chyba strasznie marudziłem przy jedzeniu, bo tata
spytał mnie, co jest grane. Wyjaśniłem, że smutno
mi z powodu rybki. Tata przyznał, że nie bardzo
wie, co powiedzieć, bo nigdy nie zdechło mu żadne
zwierzątko.

Powiedział, że w dzieciństwie miał psa o imieniu
Świrek, ale Świrek uciekł na fermę motyli.

Historię o Świrku słyszałem już z milion razy, ale nie
chciałem być niegrzeczny i przerywać mu opowieści.

Wtedy głos zabrał dziadek. Powiedział, że musi się do
czegoś przyznać: Świrek wcale nie uciekł na fermę
motyli. Tak NAPRAWDĘ dziadek przejechał go
przypadkiem, kiedy wjeżdżał tyłem do garażu.

Dziadek przyznał, że wymyślił historię o fermie motyli, żeby nie mówić tacie prawdy, ale teraz mogą się już z tego wspólnie pośmiać.

Tymczasem tata wpadł w SZAŁ. Kazał nam wracać do samochodu i zostawił dziadka z rachunkiem za lunch. Milczał przez całą drogę do domu. Wysadził nas, a potem odjechał.

Długo go nie było. Pomyślałem, że może postanowił spędzić resztę dnia w samotności. Ale po godzinie wrócił z wielkim kartonowym pudłem.

Postawił pudło na podłodze i – wierzcie mi lub nie
– w środku był PIES.

Mama nie wyglądała na zadowoloną. Tata nigdy
wcześniej nie kupił nawet pary spodni bez pytania
jej o zdanie. Był jednak taki szczęśliwy, że w końcu
zgodziła się na psa.

Podczas kolacji stwierdziła, że musimy wymyślić mu
jakieś imię.

Ja chciałem nazwać psa Mściciel albo Snajper, ale mama uznała, że to zbyt „agresywne".

Pomysły Manny'ego były znacznie gorsze. Młody chciał dać psu imię innego zwierzęcia, na przykład Słoń albo Zebra.

Rodrickowi bardzo spodobał się ten pomysł. Powiedział, że powinniśmy nazwać psa Skunks.

Mama wymyśliła imię Cukiereczek. Moim zdaniem to idiotyczne, bo przecież pies nie jest DZIEWCZYNKĄ.

Ale zanim ktoś zaprotestował, tata pochwalił pomysł mamy.

Zgodziłby się chyba na każdą propozycję mamy, byle tylko zatrzymać psa. Ale wujek Joe nie będzie zachwycony.

Tata posłał Rodricka do sklepu po miskę z imieniem psa. Oto, co przyniósł mój brat:

Tak to jest, jak się posyła na zakupy dyslektyka.

Środa

Na początku strasznie się cieszyłem, ale teraz nie
jestem już taki szczęśliwy.

Ten pies doprowadza mnie do szału. Kilka dni temu
w telewizji pokazywali jakąś reklamę ze świstakami
wyskakującymi z norek. Słodzik wyglądał na
zainteresowanego, więc tata zapytał:

Pies zaczął świrować i obszczekiwać telewizor.

Teraz obszczekuje go BEZ PRZERWY. Uspokaja się
tylko na widok reklamy ze świstakami.

Najgorsze jest jednak to, że lubi spać w moim łóżku.
Boję się, że jeśli spróbuję go przesunąć, odgryzie
mi rękę.

Nie wystarcza mu samo spanie na łóżku. On musi leżeć
dokładnie na środku.

Codziennie o siódmej tata przychodzi do mojego pokoju, żeby zabrać Słodzika na spacer. Wygląda jednak na to, że pies ma coś ze mnie, bo nie lubi wcześnie wstawać. Dlatego tata włącza światło, żeby go obudzić.

Wczoraj tata nie mógł zmusić Słodzika do wyjścia na dwór, więc zastosował nową sztuczkę. Wyszedł z domu i zadzwonił do drzwi. Pies wyskoczył z łóżka jak pocisk.

Tyle tylko, że odbił się od mojej twarzy.

Chyba padał deszcz, bo kiedy Słodzik wrócił do łóżka, cały się trząsł i był kompletnie przemoczony. Próbował wleźć pod kołdrę, żeby się ogrzać. Na szczęście dzięki łapie z bagien wiem, co robić w takiej sytuacji.

## Czwartek

Dziś rano tata nie był w stanie wyciągnąć psa z łóżka, więc poszedł do pracy, a po godzinie Słodzik mnie obudził i chciał wyjść na dwór. Owinąłem się w koc, wypuściłem psa z domu i czekałem, aż zrobi swoje. Słodzik postanowił jednak dać nogę i musiałem go gonić.

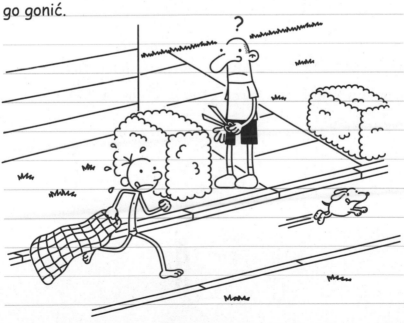

Wiecie co? Wakacje były całkiem udane, dopóki
nie pojawił się Słodzik. Ten kundel odbiera mi dwie
najważniejsze w życiu rzeczy: telewizję i sen.

Pamiętacie, że tata zawsze się wścieka, kiedy
przesypiam cały dzień? Słodzik jest dwa razy gorszy
ode mnie, ale tata za nim SZALEJE.

Moim zdaniem pies tego nie odwzajemnia. Tata
ciągle próbuje pocałować go w nos, ale Słodzik mu
nie pozwala.

Chyba rozumiem, czemu pies nie lubi taty.

Jedyną osobą, którą Słodzik naprawdę lubi, jest mama, chociaż ona akurat prawie go nie zauważa. Widać, że tatę trochę to wkurza.

Słodzik chyba woli dziewczyny. Kolejne podobieństwo między nami.

LIPIEC

Sobota

Wczoraj wieczorem pracowałem nad nowym komiksem, który ma zastąpić „Słodkiego urwisa". Konkurencja na pewno będzie duża, więc chciałem wymyślić coś wyjątkowego. Wpadłem na pomysł serii pod tytułem „Hej, ziomale!" – komiksu i kącika porad jednocześnie. Dzięki niemu świat stanie się lepszym miejscem. Przynajmniej dla MNIE.

Pomyślałem, że skoro tata przeczyta mój komiks,

mogę napisać coś specjalnie z myślą o nim.

Wczoraj wieczorem chciałem napisać kilka odcinków, ale Słodzik działał mi na nerwy i nie mogłem się skupić.

Kiedy pracowałem nad rysunkami, siedział na mojej poduszce i z zapałem lizał sobie łapy oraz ogon.

MLASK
MLASK

Zawsze kiedy tak robi, muszę pamiętać, żeby przed snem odwrócić poduszkę na drugą stronę. Wczoraj o tym zapomniałem i położyłem głowę na mokrej plamie.

A skoro już mowa o lizaniu, to wczoraj wieczorem Słodzik w końcu pocałował tatę. Pewnie dlatego, że oddech taty pachniał czipsami, a na takie rzeczy psy reagują chyba instynktownie.

Nie miałem serca powiedzieć tacie, że Słodzik spędził pół godziny na mojej poduszce, liżąc się po zadku.

Mam nadzieję, że dziś wieczorem coś narysuję, bo jutro nie będę miał czasu. Jest czwarty lipca i mama zmusza nas do wspólnej wycieczki na miejski basen.

Próbowałem się wykręcić, bo chciałbym przeżyć całe wakacje bez przechodzenia koło facetów pod prysznicem, ale mama chyba nadal wierzy, że tego lata spędzimy razem jeden cudowny dzień, więc nie ma sensu z nią walczyć.

## Poniedziałek

Mój czwarty lipca zaczął się kiepsko. Po przyjeździe na basen chciałem jak najszybciej przejść przez szatnię, ale faceci pod prysznicem byli bardzo towarzyscy.

Potem mama powiedziała, że zostawiła okulary słoneczne w samochodzie, więc musiałem ZNOWU przejść przez szatnię. W drodze powrotnej założyłem okulary, żeby ci goście dali mi spokój, ale to też nic nie dało.

Mówię serio: byłoby lepiej, gdyby ci faceci brali prysznic w domu, bo jak człowiek zobaczy kogoś takiego, już nigdy nie przestanie o tym myśleć.

Kiedy wyszedłem z szatni, wcale nie było lepiej.
Basen wyglądał dokładnie tak, jak go zapamiętałem.
Był tylko bardziej zatłoczony. Chyba wszyscy
w mieście wpadli na pomysł, żeby spędzić czwarty
lipca na pływalni.

Luźniej zrobiło się dopiero wtedy, gdy ratownik
ogłosił piętnastominutową przerwę i wygonił z wody
wszystkie dzieciaki.

Chodziło chyba o to, żeby dorośli mogli spokojnie
popływać, ale nie wiem, jak mają się zrelaksować,
jeśli trzysta dzieciaków czeka na koniec
przerwy.

Kiedy byłem młodszy, w czasie tych piętnastominutowych przerw pływałem w brodziku, ale potem zauważyłem, co tam się wyprawia.

MAMO, JA SIUSIAM!

Tylko jedno miejsce nie przypominało domu wariatów. Był to głębszy koniec basenu, ten z trampolinami. Nie chodziłem tam, odkąd skończyłem osiem lat.

Rodrick zawsze próbował mnie namówić do skoku z najwyższej trampoliny, ale strasznie się bałem tej wielkiej drabinki. Mój brat powtarzał, że muszę stawić czoło swojemu lękowi, bo inaczej nigdy nie stanę się mężczyzną.

Któregoś dnia powiedział, że na górze jest klaun, który rozdaje zabawki, i to mnie zainteresowało.

Ale kiedy zrozumiałem, że to bujda, było już za późno.

Mama kazała nam wszystkim podejść do stołów piknikowych, bo rozdawali darmowe arbuzy.

Arbuzów też się boję. Rodrick ciągle mi mówi, że jeśli człowiek zje pestkę, arbuz wyrośnie mu w żołądku.

Nie wiem, czy to prawda, czy nie, ale niedługo
początek roku szkolnego, więc nie mam zamiaru
ryzykować.

Kiedy zaczęło się ściemniać, wszyscy położyli koce
na trawniku, żeby obejrzeć pokaz sztucznych ogni.
Siedzieliśmy tam i długo patrzyliśmy w niebo, ale nic
się nie działo.

Potem ktoś powiedział przez głośniki, że pokaz jest
odwołany, bo wczoraj sztuczne ognie zamokły
na deszczu. Jakieś dzieciaki zaczęły beczeć, więc
paru dorosłych postanowiło zorganizować własny
pokaz.

Na szczęście w tym samym czasie zaczęły się fajerwerki w klubie na drugim końcu ulicy. Trudno je było zobaczyć między drzewami, ale nikomu to nie przeszkadzało.

<u>Wtorek</u>

Dziś rano siedziałem w kuchni przy stole
i przeglądałem komiksy, gdy nagle znalazłem coś,
przez co prawie wyplułem płatki śniadaniowe.

Była to dwustronicowa reklama. Nie dało się jej
przegapić.

Nie do wiary, że można LEGALNIE wydrukować
taką reklamę na dwa miesiące przed początkiem
roku szkolnego. Ktoś, kto to zrobił, na pewno
nie lubi dzieci.

Jestem pewny, że teraz takie reklamy pojawią się wszędzie i ani się obejrzę, kiedy mama pojedzie ze mną na zakupy. A one zawsze trwają cały dzień.

Spytałem więc mamę, czy nie mógłbym pojechać na zakupy z tatą. Zgodziła się. Chyba doszła do wniosku, że to nas do siebie zbliży.

Ale ja powiedziałem tacie, że może jechać sam i wziąć, co mu się podoba.

To był DURNY pomysł, bo tata wszystko kupił
w drogerii.

Byłem w podłym humorze, jeszcze zanim zobaczyłem
tę reklamę. Od rana lało, więc po spacerze z tatą
Słodzik próbował wleźć mi pod kołdrę.

Chyba straciłem czujność, bo znalazł szparę między
kołdrą a prześcieradłem i udało mu się wpełznąć
do środka.

Wierzcie mi, nie ma nic bardziej przerażającego
niż znaleźć się w samej bieliźnie pod jedną kołdrą
z mokrym psem.

Przestałem się wściekać, kiedy mama wywołała część zdjęć z czwartego lipca i położyła na stole.

Na jednym zdjęciu widać było ratowniczkę. Nie miałem pewności, ale wyglądała jak Heather Hills.

Wczoraj na basen przyszły takie tłumy, że nawet nie zauważyłem ratowników. Ale jeśli to faktycznie BYŁA Heather Hills, nie mogę uwierzyć, że ją przeoczyłem.

Heather Hills jest siostrą Holly Hills, jednej z najładniejszych dziewczyn w naszej szkole. Z tym że Heather chodzi do liceum, a to zupełnie inna liga.

HEATHER HILLS

HOLLY HILLS

Heather Hills zmieniła moje podejście do basenu miejskiego. I w ogóle do całego LATA. Przez psa nie mam już ochoty siedzieć w domu, więc zrozumiałem, że jeśli szybko czegoś nie zrobię, będę miał totalnie skopane wakacje.

I dlatego od jutra całkowicie zmieniam swoje nastawienie. Mam nadzieję, że jeszcze przed początkiem roku szkolnego będę miał dziewczynę.

<u>Środa</u>

Mama strasznie się ucieszyła, kiedy powiedziałem, że chętnie pójdę dziś na basen z nią i z Mannym. Oświadczyła, że jest ze mnie dumna, bo wreszcie stawiam rodzinę wyżej niż gry komputerowe. Nie mówiłem jej o Heather Hills. Nie chcę, żeby się wtrącała do mojego życia uczuciowego.

Kiedy dotarliśmy na miejsce, od razu chciałem sprawdzić, czy Heather dziś pracuje. Ale szybko zdałem sobie sprawę, że lepiej będzie się do tego przygotować.

W toalecie wysmarowałem całe ciało olejkiem do opalania. Potem zrobiłem kilka pompek i brzuszków, żeby napiąć mięśnie.

Ćwiczyłem przez jakiś kwadrans. Kiedy przeglądałem się w lustrze, nagle usłyszałem chrząknięcie w kabinie za moimi plecami.

Co za obciach! Ktokolwiek tam był, cały czas patrzył, jak prężę się przed lustrem.

Uznałem, że osoba z kabiny nie widziała mojej twarzy, więc przynamniej mnie nie rozpozna. Już miałem wymknąć się z łazienki, kiedy nagle usłyszałem głos mamy tuż za drzwiami toalety.

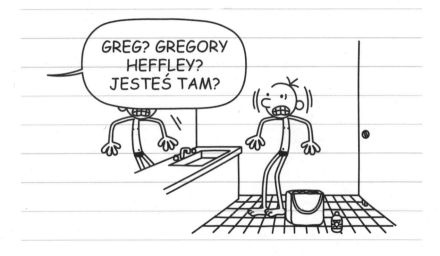

Mama chciała wiedzieć, co tak długo robiłem w łazience i czemu tak się błyszczę, ale ja już patrzyłem jej przez ramię i sprawdzałem, czy Heather Hills siedzi na krzesełku ratownika.

Oczywiście była na swoim miejscu. Podszedłem
i usiadłem obok niej.

Co pewien czas mówiłem coś dowcipnego i widać było,
że robi to na niej wrażenie.

Przynosiłem Heather wodę, kiedy chciało jej się pić,
i ochrzaniałem rozrabiające dzieciaki, żeby ona nie
musiała tego robić.

Kiedy Heather przesiadała się na inne miejsce, szedłem za nią. Co pewien czas lądowałem niedaleko mamy. Wiecie co? Trudno podrywać dziewczyny, kiedy mama siedzi półtora metra dalej.

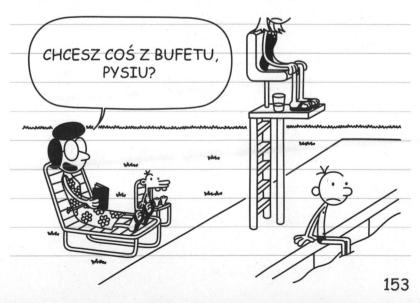

Mam nadzieję, że Heather wie, że zrobiłbym dla niej
WSZYSTKO. Jeśli potrzebuje kogoś do posmarowania
jej pleców albo podania ręcznika, kiedy wyjdzie
z wody, ja jestem gotowy.

Spędziłem z Heather cały dzień. W drodze do domu
przyszło mi do głowy, że to faktycznie może być
NAJPIĘKNIEJSZE lato w moim życiu, dokładnie
tak, jak powiedziała mama. Teraz moje plany może
schrzanić tylko ta głupia łapa z bagien. Na pewno
zjawi się w najmniej odpowiednim momencie
i wszystko zepsuje.

GREGU HEFFLEY,
CZY CHCESZ POŚLUBIĆ
HEATHER HILLS?

SKROB SKROB

<u>Środa</u>

Cały tydzień spędziłem z Heather.

Zdałem sobie sprawę, że kumple ze szkoły nigdy w to
nie uwierzą, więc poprosiłem mamę, żeby zrobiła mi
zdjęcie przy stanowisku ratownika.

Nie miała aparatu, więc musiała pstryknąć fotkę
komórką. Niestety, nie wiedziała, jak to zrobić, a ja
przez dłuższą chwilę czułem się jak idiota.

W końcu mama nacisnęła odpowiedni guzik, ale w tym momencie trzymała telefon odwrotnie i nie zrobiła zdjęcia mnie, tylko sobie. Zawsze powtarzam, że dorośli nie mają pojęcia o technologii.

Wyjaśniłem mamie, że musi skierować aparat na mnie, ale właśnie wtedy telefon zadzwonił.

Gadała tak przez pięć minut. Kiedy skończyła, Heather zdążyła się już przesiąść. Ale mama i tak zrobiła mi zdjęcie.

PSTRYK

## Piątek

Nie mogę liczyć na mamę w kwestii transportu. Nie chce codziennie jeździć na basen, a nawet jeśli się tam wybiera, to tylko na kilka godzin.

Ja chciałbym siedzieć na basenie od otwarcia do zamknięcia, żeby spędzać jak najwięcej czasu z Heather. Nie będę prosić o pomoc Rodricka, bo on zawsze każe mi jeździć z tyłu furgonetki, a tam nie ma żadnych foteli.

Doszedłem do wniosku, że potrzebuję WŁASNEGO środka transportu. Wczoraj wpadłem na świetny pomysł.

Jeden z naszych sąsiadów zostawił rower przy śmietniku, więc szybko go zabrałem, żeby nikt mnie nie uprzedził.

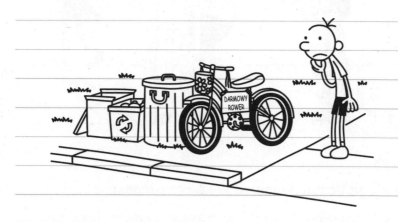

Wróciłem do domu i wstawiłem rower do garażu. Tata stwierdził, że to „model dla dziewczyn" i kazał mi się go pozbyć.

Powiem tak: rower dla dziewczyn jest lepszy od roweru dla chłopaków co najmniej z dwóch powodów. Po pierwsze, rowery dla dziewczyn mają duże, miękkie siodełka, a to bardzo ważne, jeśli jeździ się na nich w kąpielówkach.

A po drugie, rowery dla dziewczyn mają koszyki przymocowane do kierownicy, więc można tam włożyć gry wideo i olejek do opalania. Poza tym mój rower ma dzwonek, a to NAPRAWDĘ bardzo się przydaje.

Poniedziałek

Powinienem był przewidzieć, że rower wystawiony koło kubła na śmieci będzie miał krótki termin ważności.

Wczoraj wracałem na nim z basenu i nagle zaczął się chwiać. Potem odpadło przednie koło. No i dzisiaj znowu musiałem poprosić mamę, żeby podrzuciła mnie na basen.

Kiedy dotarliśmy na miejsce, mama kazała mi zabrać Manny'ego do męskiej przebieralni. Powiedziała, że jest już za duży, żeby korzystać z damskiej. Najwyraźniej tam też sporo się dzieje pod prysznicem.

Przejście przez przebieralnię powinno było nam zająć pięć sekund, ale trwało dziesięć minut.

Manny wszędzie chodzi z mamą, więc jeszcze nigdy nie był w męskiej szatni. Bardzo go to zaciekawiło i chciał wszystko obejrzeć. W pewnym momencie musiałem mu powiedzieć, żeby nie mył rąk w pisuarze. Smarkacz myślał, że to umywalka.

Nie chciałem, żeby Manny zobaczył to, co ja, więc wyjąłem z torby ręcznik. Zamierzałem zasłonić nim oczy młodego przy przechodzeniu koło myjących się facetów. Ale nagle dzieciak gdzieś wsiąkł. Nie uwierzycie, dokąd polazł.

Wiedziałem, że muszę go ratować, więc zamknąłem oczy i zrobiłem krok naprzód.

Strasznie się bałem, że przypadkiem dotknę
któregoś faceta, i przez moment miałem wrażenie, że
rzeczywiście to zrobiłem.

Musiałem otworzyć oczy, żeby znaleźć Manny'ego.
Złapałem go za rękę i wybiegłem spod prysznica.

Kiedy już wyszliśmy z szatni, Manny był cały i zdrowy,
ale ja chyba nigdy nie zapomnę tego doświadczenia.

Na miękkich nogach podszedłem do stanowiska
Heather. Potem kilka razy głęboko odetchnąłem,
żeby się uspokoić.

Pięć minut później jakiś dzieciak, który wcześniej
pewnie obżarł się lodami, puścił pawia za krzesełkiem
ratowniczki. Heather popatrzyła na mnie, jakby
oczekiwała, że coś zrobię. Może i powinienem
był posprzątać dla niej cały ten syf, ale to mnie
przerosło.

Poza tym ostatnio sporo myślałem na temat mojego
letniego romansu i doszedłem do wniosku, że muszę
trochę przystopować.

W przyszłym roku Heather i tak jedzie na studia, a związki na odległość nie mają szans.

SIERPIEŃ

<u>Wtorek</u>

Dziś w supermarkecie wpadliśmy na Jeffersonów. Nie gadałem z Rowleyem od ponad miesiąca, więc sytuacja była trochę niezręczna.

Pani Jefferson powiedziała, że robią zakupy, bo
w przyszłym tygodniu jadą nad morze. Trochę mnie
wkurza, bo to MOJA rodzina miała spędzić lato na
plaży. Ale wtedy pani Jefferson dodała coś, od czego
opadła mi szczęka.

Pan Jefferson nie wyglądał na zachwyconego, ale
zanim zdążył coś powiedzieć, wtrąciła się moja mama.

Coś mi tu śmierdzi. Może mama i pani Jefferson uknuły ten spisek, żebym pogodził się z Rowleyem?

Wierzcie mi, Rowley jest OSTATNIĄ osobą, z którą chciałbym spędzić tydzień. Ale doszedłem do wniosku, że jeśli pojadę z Jeffersonami nad morze, to zrobię rundkę na Mózgotrzepie. Czyli lato nie będzie całkiem do bani.

Poniedziałek

Kiedy zobaczyłem, gdzie będziemy mieszkać, od razu zrozumiałem, że ten wyjazd to błąd.

Moja rodzina zawsze wynajmuje apartament w dużym hotelu koło promenady, ale Jeffersonowie zatrzymali się w drewnianym domku jakieś osiem kilometrów od plaży. W środku nie było telewizora, komputera ani w ogóle NICZEGO z ekranem.

Spytałem, co mamy robić, a pani Jefferson powiedziała:

MOŻECIE CZYTAĆ KSIĄŻKI!

Uznałem to za żart i nawet powiedziałem Rowleyowi, że ma bardzo zabawną mamę. Ale po chwili pani Jefferson wróciła z kupą jakiejś makulatury.

Teraz jestem już PEWIEN, że moja mama maczała w tym palce.

Cała trójka Jeffersonów czytała aż do kolacji. Jedzenie było niezłe, tylko deser smakował podle. Pani Jefferson to jedna z tych mam, które próbują wszędzie przemycić zdrową żywność. Jej ciastka czekoladowe były napakowane szpinakiem.

Moim zdaniem przecieranie warzyw i wciskanie ich do deserów to fatalny pomysł, bo dzieciaki nie mają wtedy pojęcia, jak smakuje prawdziwe jedzenie.

Rowley pierwszy raz jadł ciasto czekoladowe u mnie w domu. To nie był przyjemny widok.

Po kolacji pani Jefferson zebrała nas wszystkich w salonie i powiedziała, że w coś zagramy. Miałem nadzieję, że chodzi o karty, ale Jeffersonowie mają własne pojęcie rozrywki.

Grali w grę pod tytułem „Kocham cię, bo...". Kiedy przyszła moja kolej, poddałem się.

Potem graliśmy w kalambury. Rowley udawał psa.

Około dwudziestej pierwszej pan Jefferson wysłał nas do łóżka. I wtedy zrozumiałem, że noc będzie jeszcze gorsza.

W pokoju było tylko jedno łóżko, więc zaproponowałem Rowleyowi umowę: rzucimy monetą i jeden z nas będzie spał na łóżku, a drugi – na podłodze.

Ale Rowley rzucił okiem na stary, brudny dywan i uznał, że nie podejmie takiego ryzyka. Ja też nie chciałem spać na podłodze, więc wlazłem do łóżka razem z Rowleyem i starałem się leżeć jak najdalej od niego.

Rowley od razu zaczął chrapać, ale ja nie mogłem zasnąć, bo w połowie zwisałem z łóżka. Już zapadałem w drzemkę, kiedy Rowley nagle wrzasnął.

Przez moment myślałem, że to łapa z bagien w końcu nas dopadła.

Rodzice Rowleya przybiegli, żeby sprawdzić, co się stało.

Rowley powiedział, że miał koszmarny sen. Śniło mu się, że siedzi pod nim kurczak.

Jeffersonowie uspokajali go przez dwadzieścia minut, tłumacząc, że to był tylko zły sen i że nie ma żadnego kurczaka.

Nikt nie sprawdził, jak się czuję po upadku z łóżka na twarz.

Resztę nocy Rowley spędził w pokoju rodziców. I bardzo dobrze. Bez jego kurczaka porządnie się wyspałem.

Środa

Już od trzech dni siedzę w tym domku i naprawdę zaczynam świrować.

Namawiałem państwa Jeffersonów, żeby zabrali
nas na promenadę, ale oni uznali, że jest tam „zbyt
hałaśliwie".

Nigdy nie byłem tak długo odcięty od telewizji,
komputera i gier. Mam już dość. Kiedy pan Jefferson
pracuje wieczorami na laptopie, schodzę na dół
i patrzę mu przez ramię, żeby sobie przypomnieć,
jak wygląda prawdziwy świat.

Kilka razy prosiłem, żeby pozwolił mi skorzystać
z laptopa, ale on powiedział, że to jego „służbowy
komputer", a ja mógłbym coś popsuć. Wczoraj
wieczorem byłem na skraju załamania nerwowego,
więc zaryzykowałem.

Kiedy poszedł do łazienki, skorzystałem z okazji.

Błyskawicznie napisałem maila do mamy, a potem pobiegłem na górę i wskoczyłem do łóżka.

```
DO: Heffley, Susan
TEMAT: SOS!

POMOCY POMOCY POMOCY ZABIERZ MNIE
STĄD CI LUDZIE DOPROWADZAJĄ MNIE DO
SZAŁU
```

Kiedy rano zszedłem na śniadanie, pan Jefferson skrzywił się na mój widok.

Miałem pecha. Wysłałem maila z jego służbowego konta, a mama mu odpisała.

```
DO: Jefferson, Robert
TEMAT: Odp: Pomocy!

Rodzinne wakacje dają trochę w kość?
Jak się sprawuje Gregory?

Susan
```

Myślałem, że pan Jefferson naprawdę da mi popalić, ale on nie powiedział ani słowa. Potem pani Jefferson zaproponowała, żebyśmy po południu wybrali się na promenadę i spędzili tam godzinkę albo dwie.

Dokładnie o to mi chodziło. Potrzebowałem tylko kilku godzin.

Jeśli chociaż raz przejadę się na Mózgotrzepie, ta wycieczka nie będzie kompletną stratą czasu.

Piątek

Wróciłem do domu dwa dni wcześniej. Chcecie wiedzieć czemu? To długa historia.

Wczoraj po południu Jeffersonowie zabrali mnie i Rowleya na promenadę. Zamierzałem od razu przejechać się na Mózgotrzepie, ale kolejka była za długa, więc postanowiliśmy coś zjeść i wrócić później.

Kupiliśmy lody, ale pan Jefferson zamówił tylko jedną porcję na cztery osoby.

Mama dała mi trzydzieści dolarów kieszonkowego.
Wydałem dwadzieścia na taką jedną grę.

Próbowałem wygrać wielką pluszową gąsienicę, ale
wszystko jest ustawione i człowiek nie ma szans.

Rowley patrzył, jak przepuszczam dwadzieścia
dolców, a potem poszedł do swojego taty i poprosił,
żeby mu kupił IDENTYCZNĄ gąsienicę w sklepie
obok. A najgorsze jest to, że gąsienica kosztowała
raptem dziesiątaka.

Moim zdaniem pan Jefferson popełnił wielki błąd.
Teraz Rowley czuje się jak zwycięzca, chociaż
niczego nie wygrał.

Mam własne doświadczenia w tej dziedzinie.
W zeszłym roku należałem do drużyny pływackiej
i którejś niedzieli zostałem zaproszony na specjalne
zawody.

Na miejscu stwierdziłem, że nie zaprosili ANI
JEDNEGO dobrego pływaka, tylko dzieciaki, które
nigdy nie dostały żadnego wyróżnienia.

Najpierw się ucieszyłem, bo pomyślałem, że może
wreszcie coś wygram.

No i niestety nic z tego. Wystąpiłem w wyścigu na
sto metrów kraulem i tak się zmęczyłem, że ostatnią
długość basenu musiałem PRZEJŚĆ.

Sędziowie jednak wcale mnie nie zdyskwalifikowali.
A na koniec rodzice wręczyli mi medal za zajęcie
pierwszego miejsca.

Prawda jest taka, że WSZYSCY dostali medale.
Nawet Tommy Lam, który stracił orientację
w konkurencji stylem grzbietowym i popłynął w złym
kierunku.

Po powrocie do domu byłem nieźle skołowany. Ale
kiedy Rodrick zobaczył mój medal, wszystko mi
wyjaśnił.

Powiedział, że rodzice zorganizowali te zawody, żeby
ich dzieci poczuły się jak zwycięzcy.

Pewnie myśleli, że robią nam przysługę, ale moim zdaniem mamy przez to jeszcze bardziej przechlapane.

Kiedy jako dzieciak zaczynałem grać w bejsbol, wszyscy bili mi brawo nawet po błędach. W następnym roku chłopaki z drużyny i ich rodzice gwizdali przy najmniejszych pomyłkach.

Próbuję powiedzieć, że jeśli rodzice Rowleya teraz poprawiają jego samopoczucie, to nie będą mogli przestać. Już nigdy.

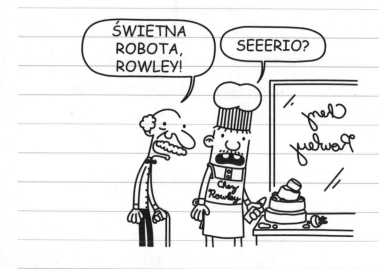

Po tej historii z gąsienicą przeszliśmy się po promenadzie i stanęliśmy w kolejce do Mózgotrzepa. Wtedy zobaczyłem coś ciekawego.

Zauważyłem dziewczynę ze zdjęcia Rodricka. Ale wiecie co? To nie była prawdziwa dziewczyna. Ona była WYCIĘTA Z KARTONU.

Poczułem się jak idiota. Że też wziąłem ją za prawdziwą dziewczynę! Potem doszedłem do wniosku, że mogę kupić sobie WŁASNY breloczek i zrobić wrażenie na kumplach. Może nawet będą mi płacić za oglądanie.

Odżałowałem pięć dolarów i ustawiłem się do zdjęcia. Niestety, Jeffersonowie stanęli RAZEM ZE MNĄ, więc teraz mój breloczek jest właściwie guzik wart.

Strasznie się wkurzyłem, ale zapomniałem o wszystkim, kiedy zobaczyłem, że w kolejce do Mózgotrzepa stoi już tylko kilka osób. Podbiegłem tam i za ostatnie pięć dolców kupiłem sobie bilet.

Myślałem, że Rowley stoi tuż za mną, ale chyba stchórzył.

Sam zacząłem się wahać, ale było za późno. Gość
z obsługi przypiął mnie pasami, zamknął klatkę
i zrozumiałem, że nie ma już odwrotu.

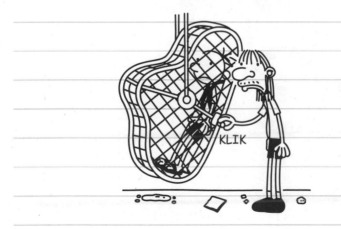

Szkoda, że wcześniej nie przyjrzałem się dokładnie,
co właściwie robi z ludźmi Mózgotrzep. Gdybym to
wiedział, na pewno dałbym sobie spokój.

Karuzela z milion razy rzuca człowiekiem w górę
i w dół i hamuje jakieś piętnaście centymetrów od
ziemi. A potem znowu leci się prosto w niebo.

Przez cały czas klatka trzeszczy, a wszystkie
śruby wyglądają, jakby zaraz miały odpaść.
Krzyczałem, żeby ktoś zatrzymał karuzelę, ale nikt
nie słyszał mojego głosu. Zagłuszał go dudniący
heavy metal.

Nigdy w życiu nie miałem takich mdłości. Nawet wtedy, gdy musiałem wyciągnąć Manny'ego spod męskiego prysznica. Jeżeli tylko w ten sposób można zostać „prawdziwym mężczyzną", to na pewno nie jestem jeszcze gotowy.

Kiedy przejażdżka wreszcie się skończyła, ledwo mogłem ustać na nogach. Usiadłem więc na ławce i czekałem, aż promenada przestanie wirować.

Siedziałem tam bardzo długo, próbując powstrzymać wymioty. Tymczasem Rowley jeździł na czymś dostosowanym do jego możliwości.

Kiedy miał już dość tej dziecinady, tata kupił mu w sklepie z pamiątkami amortyzator głowy i koszulkę.

Jakieś pół godziny później mogłem wreszcie wstać, ale kiedy tylko się podniosłem, pan Jefferson oświadczył, że pora wracać do domu.

Spytałem, czy mógłbym jeszcze pograć na automatach w salonie gier. Zgodził się, chociaż nie był zadowolony.

Wydałem już wszystkie pieniądze od mamy, więc powiedziałem panu Jeffersonowi, że potrzebuję dwudziestu dolców. Jednak on zaproponował mi tylko dolara.

W salonie gier było chyba za głośno dla państwa Jeffersonów, bo nie weszli do środka. Kazali nam iść we dwóch i spotkać się z nimi za dziesięć minut.

Na samym końcu salonu jest taka jedna gra, Ognisty Piorun. W zeszłym roku wydałem na nią z pięć dych i zdobyłem wysoki wynik. Chciałem, żeby Rowley zobaczył moje nazwisko na pierwszym miejscu i przekonał się, jak to jest wygrać coś bez niczyjej pomocy.

Moje nazwisko dalej było na pierwszym miejscu, ale osoba z DRUGIM wynikiem na pewno strasznie mi zazdrościła.

## REKORDOWE WYNIKI

1. GREG HEFFLEY .........25320
2. TO IDIOTA................25318
3. BAŁWAN 71.............24200
4. RYZYKANT...............22100
5. CYKOR1 .................21500
6. SZYMPANS88.........21250
7. WŚCIEKŁY PIES.......21200
8. SZYBKI LOPEZ.........20300
9. DZIKI RICKY...........20100
10. LEIGHANDREW .......19250

Wyłączyłem automat z prądu, żeby usunąć rekordowe wyniki, ale były zapisane na stałe.

Chciałem wydać pieniądze na inną grę, ale wtedy przypomniałem sobie sztuczkę, o której mówił mi Rodrick, i doszedłem do wniosku, że jeden dolar może wystarczyć na dłużej.

Wyszliśmy z salonu gier i schowaliśmy się pod pomostem. Potem wysunąłem banknot przez szczelinę między deskami i czekałem na pierwszą ofiarę.

W końcu jakiś pryszczaty koleś zauważył dolara leżącego na molo.

Kiedy schylił się po pieniądze, ja w ostatniej chwili wciągnąłem banknot z powrotem.

Muszę przyznać, że Rodrick miał rację – to była
superowa zabawa.

Nabrani goście nie byli jednak zachwyceni i zaczęli
nas gonić. Uciekaliśmy najszybciej, jak mogliśmy,
dopóki nie byliśmy pewni, że ich zgubiliśmy.

Ja jednak nadal NIE czułem się bezpieczny.
Poprosiłem Rowleya, żeby pokazał mi kilka chwytów
karate. W ten sposób poradzilibyśmy sobie z tamtymi
chłopakami przy następnym spotkaniu.

Niestety, Rowley powiedział, że ma złoty pas karate
i nie będzie uczył kogoś, kto nie ma żadnego pasa.

Ukrywaliśmy się jeszcze przez chwilę, ale ci kolesie
znikli. Wtedy zauważyliśmy, że jesteśmy dokładnie
pod Dzieciolandią, więc mamy nad głową całe stado
oferm, które możemy nabrać na sztuczkę z dolarem.
Reakcje bachorów były ZNACZNIE fajniejsze.

Ale jeden dzieciak okazał się naprawdę szybki
i złapał banknot, zanim zdążyłem wciągnąć go pod
molo. Musieliśmy więc wyjść na górę, żeby odzyskać
pieniądze.

Dzieciak jednak nie chciał oddać kasy. Próbowałem
wyjaśnić mu pojęcie własności, ale smarkacz się
zaparł.

Zaczynał mnie już wkurzać, kiedy przyszli rodzice
Rowleya. Ucieszyłem się na ich widok, bo jeśli
KTOKOLWIEK mógłby przemówić dzieciakowi
do rozumu, to na pewno pan Jefferson.

Ale pan Jefferson był zdenerwowany. STRASZNIE zdenerwowany. Powiedział, że razem z panią Jefferson szuka nas od godziny i że mieli nawet zgłosić nasze zaginięcie na policji.

Potem kazał nam wracać do samochodu. W drodze na parking minęliśmy salon gier. Zapytałem pana Jeffersona, czy moglibyśmy dostać jeszcze dolara, bo tego pierwszego nie udało nam się odzyskać.

To raczej nie był dobry pomysł. Pan Jefferson bez słowa zabrał nas do auta, a po powrocie kazał iść prosto do sypialni.

Kanał, bo nie było jeszcze dwudziestej, a na dworze ciągle świeciło słońce.

Mimo to pan Jefferson oświadczył, że mamy się kłaść do łóżka i że do rana nie chce nas nawet słyszeć. Rowley strasznie się przejął. Zupełnie jakby tata nigdy wcześniej nie był na niego zły.

Postanowiłem poprawić mu trochę humor. Potarłem stopami dywan, a potem dla żartu poraziłem Rowleya prądem.

Rowley trochę się rozchmurzył. Przez pięć minut szurał stopami po dywanie i kopnął mnie prądem, kiedy myłem zęby.

Nie mogłem pozwolić, żeby był górą, więc kiedy wlazł do łóżka, wziąłem jego nowy amortyzator głowy, zdjąłem wielką gumową opaskę i strzeliłem w Rowleya.

Gdybym miał to zrobić jeszcze raz, chyba nie
naciągnąłbym jej aż tak mocno.

Kiedy Rowley zobaczył czerwony ślad na ramieniu,
zaczął wrzeszczeć. Wiedziałem, że to zwróci czyjąś
uwagę. I rzeczywiście już po pięciu sekundach do
pokoju wpadli jego rodzice.

Próbowałem wyjaśnić, że ślad na ręce Rowleya
zrobiłem gumową opaską, ale dla Jeffersonów nie
miało to żadnego znaczenia.

Zadzwonili do moich rodziców. Dwie godziny później
tata przyjechał, żeby zabrać mnie do domu.

<u>Poniedziałek</u>

Tata jest naprawdę wściekły, że musiał jechać po mnie
dwie godziny w jedną stronę. Ale mama powiedziała,
że ta heca z Rowleyem to tylko „wyskok", a ona się
cieszy, że znowu jesteśmy kumplami.

Tata nadal nie przestaje się wkurzać. Od mojego
powrotu nasze stosunki są bardzo napięte. Mama
chce, żebyśmy poszli razem do kina i się pogodzili, ale
na razie chyba powinniśmy schodzić sobie z drogi.

Mam też wrażenie, że ten podły humor szybko tacie nie minie i że nie ma to żadnego związku ze mną. Kiedy otworzyłem dzisiejszą gazetę, w dziale graficznym zobaczyłem ogłoszenie:

# Dział graficzny

## Ukochany komiks czytelników będzie kontynuowany

**Syn rysownika stworzy ciąg dalszy „Słodkiego urwisa".**

Ku ogólnemu zaskoczeniu Tyler Post, syn autora komiksu „Słodki urwis", podejmie dzieło ojca.

– Nie miałem pracy ani żadnych konkretnych planów, więc pomyślałem sobie: „To nie może być trudne!" – powiedział trzydziestodwuletni Tyler, który nadal mieszka z ojcem. Uważa się powszechnie, że postać „Słodkiego urwisa" jest wzorowana...

Ciąg dalszy na stronie A2

Tyler Post będzie rysował nowe odcinki „Słodkiego urwisa" – pierwszy w następną niedzielę.

Wywiady z uszczęśliwionymi mieszkańcami domu spokojnej starości na stronie A3.

Wczoraj wieczorem tata przyszedł do mojego pokoju. Rozmawialiśmy pierwszy raz od trzech dni. Powiedział, żebym nigdzie nie wychodził w niedzielę. Obiecałem, że będę siedział w domu.

Potem usłyszałem, jak rozmawia z kimś przez telefon. Zachowywał się bardzo tajemniczo.

Spytałem tatę, czy zabiera mnie gdzieś w niedzielę.
Strasznie zbiło go to z tropu. Zaprzeczył, nie patrząc
mi w oczy.

Od razu wiedziałem, że nie mówi prawdy, więc
zacząłem się martwić. Kiedyś już tata chciał mnie
wysłać do szkoły wojskowej i teraz też mógłby mi
wyciąć jakiś paskudny numer.

Nie wiedziałem, co robić, więc opowiedziałem
o wszystkim Rodrickowi i spytałem, czy ma jakieś
teorie. Rodrick obiecał, że się zastanowi. Po jakimś
czasie przyszedł do mojego pokoju i zamknął
za sobą drzwi.

Powiedział, że tata jest wściekły z powodu historii
z Rowleyem i chce się mnie pozbyć.

Nie byłem pewien, czy mogę mu wierzyć, bo na
Rodricku nie zawsze można polegać. Ale on stwierdził,
że skoro mu nie ufam, to powinienem zajrzeć do
kalendarza taty i sam się przekonać. Poszedłem więc
do gabinetu taty, otworzyłem jego kalendarz
na niedzieli i znalazłem to:

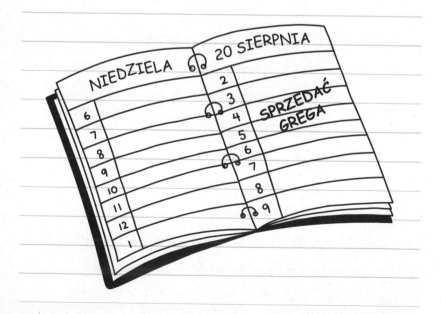

Jestem przekonany, że Rodrick robi mnie w konia,
bo wyglądało to zupełnie jak jego charakter pisma.
Z drugiej strony, tata jest trochę nieprzewidywalny,
więc chyba muszę poczekać do niedzieli i zobaczyć,
co jest grane.

Niedziela

Dobra nowina jest taka, że tata mnie nie sprzedał ani
nie oddał do sierocińca. Niestety, biorąc pod uwagę,
co się dzisiaj stało, pewnie w końcu to zrobi.

Około dziesiątej kazał mi wsiąść do samochodu.
Powiedział, że chce mnie zabrać do miasta. Kiedy
spytałem po co, wyjaśnił, że to niespodzianka.

Po drodze zajechaliśmy na stację benzynową.
Tata zostawił w samochodzie mapę i plan drogi
i tak się dowiedziałem, dokąd jedziemy: na Bayside
Street 1200.

Wpadłem w panikę, więc pierwszy raz w życiu postanowiłem użyć Biedronki.

Skończyłem rozmawiać tuż przed powrotem taty. Potem pojechaliśmy dalej. Żałuję, że nie przyjrzałem się tej mapie trochę dokładniej, bo kiedy stanęliśmy przy Bayside Street, skumałem, że jest tam parking stadionu bejsbolowego. Ale wtedy było już za późno.

Okazało się, że mama kupiła nam bilety na mecz, bo chciała, żebyśmy spędzili razem trochę czasu, a tata trzymał wszystko w tajemnicy.

Teraz musiał długo się tłumaczyć przed gliniarzami. Kiedy już wszystko im wyjaśnił, nie miał ochoty na mecz, więc zabrał mnie prosto do domu.

Trochę mi głupio, bo mama wykupiła miejsca w trzecim rzędzie i chyba zapłaciła za nie majątek.

## Wtorek

Dowiedziałem się w końcu, że tata dzwonił wtedy do babci i że nie rozmawiał o mnie, tylko o Słodziku.

Rodzice postanowili oddać psa babci i tata zawiózł go tam w niedzielę wieczorem. Jeśli mam być szczery, nikt nie będzie szczególnie tęsknił za tym kundlem.

Od tamtego czasu tata i ja nie rozmawiamy z sobą, a ja szukam wymówek, żeby wyrwać się z domu. Wczoraj wpadłem na fajny pomysł. W telewizji puścili reklamę sklepu, w którym kupuję gry wideo.

Teraz urządzają tam konkurs. Gra się w sklepie,
a zwycięzca jedzie na zawody ogólnokrajowe,
w których można wygrać MILION dolców.

Konkurs odbędzie się w sobotę. Na pewno przyjdą
tłumy ludzi, więc muszę dotrzeć bladym świtem
i załapać się na dobre miejsce w kolejce.

Znam tę sztuczkę, bo kiedy Rodrick chce kupić
bilety na koncert, poprzednią noc spędza pod kasą.
Tak właśnie poznał Billa, wokalistę swojej kapeli.

Rowley ciągle jeździ ze swoim tatą na biwak,
więc wiem, że ma namiot. Zadzwoniłem do niego
i powiedziałem o konkursie i o milionie dolarów.

Zachowywał się bardzo nerwowo. Chyba ciągle się boi,
że mam jakąś supermoc i mogę porazić go prądem.
Musiałem obiecać, że więcej tego nie zrobię.

Ale nawet wtedy Rowley nie był zachwycony
nocowaniem poza domem. Powiedział, że rodzice
zabronili mu spotkań ze mną aż do końca lata.

Domyśliłem się tego, ale miałem już plan.
Wytłumaczyłem Rowleyowi, że powiem rodzicom,
że będę nocował u niego w domu, a on powie
rodzicom, że będzie nocował u Colina.

Rowley NADAL nie był przekonany, więc obiecałem
przynieść paczkę żelków. Wtedy wreszcie się zgodził.

Sobota
Spotkaliśmy się na wzgórzu o dziewiątej wieczorem.
Rowley przyniósł sprzęt biwakowy i śpiwór, a ja
latarkę i czekoladowe batoniki energetyczne.

Nie miałem jeszcze żelków, ale powiedziałem
Rowleyowi, że kupię je przy najbliższej okazji.

Kiedy dotarliśmy do sklepu, nie było nikogo poza nami.
Nie mogliśmy uwierzyć we własne szczęście.

Rozbiliśmy namiot przed sklepem, żeby nikt nie zajął
nam miejsca.

Potem obserwowaliśmy drzwi, żeby nikt nie wepchnął
się do kolejki.

Uznałem, że najlepiej będzie spać na zmianę.

Zaproponowałem nawet, że mogę czuwać pierwszy.

Taki ze mnie kumpel.

Kiedy skończyła się moja warta, obudziłem Rowleya, ale on zasnął w ciągu pięciu sekund, więc szarpnąłem go i kazałem mu czuwać.

Niewiele to dało.

Zrozumiałem, że SAM muszę pilnować miejsca w kolejce. Około dziewiątej rano zaczęły mi się kleić oczy, więc zjadłem oba batoniki energetyczne.

Ubrudziłem sobie ręce czekoladą i to podsunęło mi pewien pomysł. Odsunąłem klapę namiotu, wsunąłem do środka dłoń i zacząłem nią poruszać, jakby to był pająk.

Myślałem, że fajnie będzie nabrać Rowleya na numer z łapą z bagien. Nie usłyszałem żadnych dźwięków, więc uznałem, że jeszcze śpi. Ale nim zdążyłem zajrzeć do środka, moja dłoń została stłuczona na kwaśne jabłko.

Cofnąłem rękę. Kciuk był już siny.

Wkurzyłem się na Rowleya. Nie dlatego, że strzaskał mi rękę młotkiem, ale dlatego, że chciał w ten sposób zatrzymać łapę z bagien.

Każdy głupi wie, że w tym celu trzeba użyć ognia albo kwasu. Młotek może ją tylko rozwścieczyć.

Już miałem ochrzanić Rowleya, ale właśnie wtedy otworzyli sklep. Postanowiłem zignorować ból kciuka i skupić się na tym, po co przyszliśmy.

Facet ze sklepu chciał wiedzieć, czemu rozbiliśmy namiot na chodniku, więc wyjaśniłem, że chcemy wziąć udział w zawodach, ale on nie miał pojęcia, o czym mówię.

Musiałem mu pokazać wywieszony w oknie plakat, żeby coś skumał.

Sprzedawca powiedział, że sklep nie przygotował się do zawodów, ale skoro już przyszliśmy, możemy zagrać na zapleczu.

Najpierw się wkurzyłem, ale potem do mnie dotarło, że jeśli pokonam Rowleya, wygram całe eliminacje. Sprzedawca ustawił dla nas śmiertelny pojedynek w Zakręconym Czarowniku. Było mi prawie żal Rowleya, bo w tej grze nie mam sobie równych. Kiedy jednak zaczęliśmy grać, poczułem straszny ból w kciuku i nie mogłem wciskać guzików na konsoli.

Biegałem tylko w kółko, podczas gdy Rowley trafiał
mnie raz za razem.

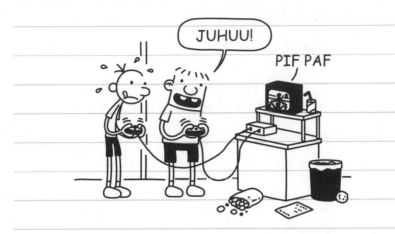

Pokonał mnie piętnaście do zera. Sprzedawca
ogłosił go zwycięzcą i powiedział, że teraz Rowley
może wybrać sobie nagrodę: albo wysłać zgłoszenie
do zawodów krajowych, albo wziąć wielkie pudło
rodzynek w czekoladzie.

Na pewno zgadniecie, co wolał Rowley.

<u>Niedziela</u>

Wiecie co? Powinienem był się trzymać pierwotnego planu i spędzić całe lato w domu. Jak tylko wychodzę, wpadam w tarapaty.

Nie widziałem się z Rowleyem od czasu, kiedy podstępnie wygrał tamte zawody, a tata nie rozmawia ze mną, odkąd prawie wpakowałem go do aresztu.

Ale dzisiaj lody jakby stopniały. Pamiętacie artykuł o komiksie „Słodki urwis", który syn dostał w spadku po ojcu?

No więc właśnie wydrukowali pierwszy odcinek nowej serii. Wygląda na to, że jest jeszcze gorsza niż oryginał.

*Tatusiu, możesz powiedzieć czkawce, żeby się ode mnie ODczkała?*

Pokazałem gazetę tacie, a on się ze mną zgodził.

Wtedy zrozumiałem, że się w końcu dogadamy. Może nie zawsze jest łatwo, ale przynajmniej zgadzamy się w ważnych sprawach.

Pewnie ktoś mógłby uznać, że niechęć do jednego komiksu to słaba podstawa trwałego związku, ale prawda jest taka, że tata i ja nie znosimy razem WIELU rzeczy.

Może nie wyglądamy jak ojciec i syn z reklamy, ale nic nie szkodzi. Przekonałem się, że NADMIERNA bliskość to nic dobrego.

Kiedy mama skończyła dziś pracę nad zdjęciami, dotarło do mnie, że już prawie po wakacjach. Przejrzałem album i szczerze mówiąc, nie ma on wiele wspólnego z prawdą. Ale prawda należy chyba do tego, kto wybiera zdjęcia.

# Najpiękniejsze lato!

KLUB DOBREJ KSIĄŻKI mówi „NIE" grom wideo.

Teraz Gregory nie może przestać czytać!

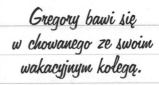

Gregory bawi się w chowanego ze swoim wakacyjnym kolegą.

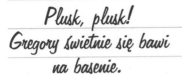

Plusk, plusk!
Gregory świetnie się bawi
na basenie.

Ojej! Mama weszła
w kadr.

Gregory lubi być
blisko ratownika.

Najlepsi przyjaciele!

## PODZIĘKOWANIA

Dziękuję wszystkim fanom cwaniaczka, którym zawdzięczam inspirację. Dziękuję też księgarzom w całym kraju za to, że pokazali moją serię dzieciom.

Dziękuję mojej rodzinie za miłość i wsparcie. Wspaniale było dzielić z Wami to doświadczenie.

Dziękuję wszystkim pracownikom wydawnictwa Abrams za ich ciężką pracę nad tą książką. Szczególne podziękowania należą się mojemu redaktorowi Charliemu Kochmanowi, specjaliście od promocji Jasonowi Wellsowi i fantastycznemu redaktorowi prowadzącemu Scottowi Auerbachowi.

Dziękuję także wszystkim w Hollywood, a szczególnie Ninie, Bradowi, Carli, Rileyowi, Elizabeth i Thorowi – za to, że zdołali powołać Grega Heffleya do życia. I na koniec wielkie dzięki dla Sylvie i Keitha za pomoc i wskazówki.

## O AUTORZE

Jeff Kinney jest twórcą internetowych gier komputerowych oraz serii książek *Dziennik cwaniaczka*, numeru jeden na liście bestsellerów „New York Timesa". Czasopismo „Time" umieściło go wśród Stu Najbardziej Wpływowych Ludzi Świata. Jeff stworzył również portal www.poptropica.com. Dzieciństwo spędził w Waszyngtonie, a w 1995 roku przeniósł się do Nowej Anglii. Obecnie mieszka z żoną i dwoma synami na południu Massachusetts, gdzie otworzył księgarnię An Unlikely Story.

Wydawnictwo NASZA KSIĘGARNIA Sp. z o.o.
05-075 Warszawa-Wesoła, ul. Apteczna 6
e-mail: naszaksiegarnia@nk.com.pl
tel. 22 643 93 89

Sprzedaż wysyłkowa: tel. 22 641 56 32
e-mail: sklep.wysylkowy@nk.com.pl
**www.nk.com.pl**

Książkę wydrukowano na papierze
Ecco Book Cream 70 g/m² wol. 2,0.

Redaktor prowadząca **Joanna Wajs**
Opieka redakcyjna **Magdalena Korobkiewicz**
Redakcja techniczna **Joanna Piotrowska**
Korekta **Malwina Łozińska, Katarzyna Nowak**
Skład i łamanie **Mariusz Brusiewicz**

ISBN 978-83-10-13653-4

PRINTED IN POLAND

Wydawnictwo „Nasza Księgarnia", Warszawa 2021 r.
Druk: POZKAL, Inowrocław